A REVOLUÇÃO DIGITAL NA SAÚDE

como a inteligência artificial e a internet das coisas tornam o cuidado mais humano, eficiente e sustentável

A Revolução Digital na Saúde
Claudio Lottenberg, Patrícia Ellen da Silva e Sidney Klajner

Pesquisa e edição: Cilene Pereira, Luci Ayala e Mônica Tarantino

Revisão: Joana Figueiredo e Jô Santucci

Projeto gráfico, capa e diagramação: Beto Nejme Estúdio

Versão para o inglês: Daniel Moreira Miranda

Impressão e acabamento: Edelbra Gráfica e Editora

Impresso no Brasil
Printed in Brazil
1a impressão – 2019

© 2019 por Claudio Lottenberg, Patrícia Ellen da Silva e Sidney Klajner

Todos os direitos reservados. Nenhuma parte deste livro poderá ser reproduzida, sejam quais forem os meios empregados, sem a permissão, por escrito, da editora. Aos infratores aplicam-se as sanções previstas nos artigos 102, 104, 106 e 107 da Lei nº 9.610, de 19 de fevereiro de 1998.

ISBN 978-85-85162-36-8

Editora dos Editores
São Paulo: Rua Marquês de Itu, 408 - sala 104 – Centro. (11) 2538-3117
Rio de Janeiro: Rua Visconde de Pirajá, 547 - sala 1121 – Ipanema.
www.editoradoseditores.com.br

Este livro foi criteriosamente selecionado e aprovado por um editor científico da área em que se inclui. A Editora dos Editores assume o compromisso de delegar a decisão da publicação de seus livros a professores e formadores de opinião com notório saber em suas respectivas áreas de atuação profissional e acadêmica, sem a interferência de seus controladores e gestores, cujo objetivo é lhe entregar o melhor conteúdo para sua formação e atualização profissional. Desejamos-lhe uma boa leitura!

Dados Internacionais de Catalogação na Publicação (CIP)
Angélica Ilacqua CRB-8/7057

Lottenberg, Cláudio
  A revolução digital na saúde : como a inteligência artificial e a internet das coisas tornam o cuidado mais humano, eficiente e sustentável / Cláudio Lottenberg, Patrícia Ellen da Silva, Sidney Klajner. -- São Paulo : Editora dos Editores, 2019.
  176 p.

ISBN 978-85-85162-36-8

1. Saúde - Brasil - Inovações tecnológicas 2. Inteligência artificial 3. Internet das coisas I. Título II. Silva, Patrícia Ellen da III. Klajner, Sidney

19-2080   CDD 610.72

Índices para catálogo sistemático:
1. Saúde - Brasil - Inovações tecnológicas 610.72

A REVOLUÇÃO DIGITAL NA SAÚDE

como a inteligência artificial e a internet das coisas tornam o cuidado mais humano, eficiente e sustentável

Claudio Lottenberg • Patrícia Ellen da Silva • Sidney Klajner

São Paulo, 2019

Editora dos Editores

Dedicatórias

A minha querida esposa Ida, que na essência de sua alma é uma fonte permanente de estímulo e apoio para todos os meus sonhos;

A meus queridos filhos Gustavo e Fabio, que me trouxeram uma nova vida;

Aos meus queridos pais Teteia e Marcos, que viveram por seus filhos, nutrindo-os com valores e propósitos;

A meus queridos sogros, Esther e Ciriel (este em saudosa memória), sobreviventes do Holocausto, que me incutiram o sentimento da resiliência;

A meus queridos enteados Fernanda, Sérgio e ao adorado Ciriel, que me ensinaram a ser pai.

Claudio Lottenberg

A meus pais Messias e Valda, por seu exemplo de empreendedorismo, superação e dedicação à família;

A meus irmãos Priscilla, Paula, Bianca, Arthur, Diego e Manuela pela amizade e cumplicidade;

A minhas avós Celina e Virgínia, por sua força e inspiração de liderança feminina;

A minhas filhas Malú e Aninha, que vieram ao mundo para me trazer uma dose dupla de amor e conexão com meu propósito de vida;

A minha família de sergipanos, goianos, mineiros e paulistas pelo presente de me manterem sempre conectada à realidade e por me ensinarem que política pública baseada em evidências e inovação deve ser sobretudo humana.

Patrícia Ellen da Silva

A minha querida esposa Meyre, meu amor infinito, companheira de uma vida e apoio incondicional às minhas loucuras e desafios;

A meus filhos, Nataly e Tommy, orgulho sem limites, por quem toda dedicação possível é pouco. Invertendo os papéis, são agora minha fonte de inspiração;

A meus pais, Henrique e Rosaly, pelos valores que recebi e pelo exemplo e motivação para minha carreira;

A meus saudosos avós paternos, Gitla e Jankiel, e aos meus avós maternos, Sara e Bernardo, pela demonstração do poder do trabalho rumo às conquistas e pelo exemplo de amor, carinho e dedicação a família;

A meus sogros, Sara e David, pelo suporte constante a minha família, principalmente em meus momentos de ausência.

Sidney Klajner

Agradecimentos

A Sidney, irmão que a vida me trouxe e uma das pessoas mais respeitadoras que já conheci, e a Patrícia Ellen, exemplo de resiliência e superação que me inspira nos caminhos da intelectualidade real.

Claudio Lottenberg

A Claudio, amigo e fonte constante de inspiração, que sempre acreditou em mim e me incentivou a tomar riscos, a me dedicar ao serviço público e a seguir meu coração.

A Sidney, grande exemplo de médico dedicado e líder inovador sempre a serviço da sociedade.

Patrícia Ellen da Silva

A Claudio, meu mentor, irmão para todos os momentos, que incutiu em mim o desejo de sempre fazer mais.

A Patrícia Ellen, que em busca de um ideal, motiva e engaja a todos nós.

A Maria Cristina Viana Dias, impecável e comprometida para que tudo se transforme no melhor possível.

Sidney Klajner

A Cláudia Laselva (diretora de Operações da Unidade Morumbi – Hospital Israelita Albert Einstein), Edson Amaro Júnior (professor associado de radiologia da Universidade de São Paulo e responsável pela área de *big data* do HIAE) e José Claudio Terra (diretor de Inovação e Transformação Digital do HIAE) pelas entrevistas esclarecedoras e profundas.

Os autores

Sumário

PREFÁCIO   11
Transformações em tempo real

INTRODUÇÃO   15
O novo paradigma da saúde

CAPÍTULO 1   20
Os caminhos da transformação
Parte 1   23
Uma breve história da revolução digital
Parte 2   31
O impacto da tecnologia digital na saúde

CAPÍTULO 2   42
A experiência em outros países

CAPÍTULO 3   70
Soluções inovadoras para grandes desafios

CAPÍTULO 4   90
O panorama brasileiro
Parte 1   93
O impacto da tripla carga sobre a saúde, os custos e a governança

Parte 2   101

As iniciativas em andamento e os obstáculos a serem vencidos

CAPÍTULO 5   116

A formação médica na era digital

CAPÍTULO 6   126

O paciente no centro de tudo: o *triple aim*

CAPÍTULO 7   142

Ética e segurança de dados

CAPÍTULO 8   152

Elementos para um plano diretor de digitalização da saúde

CONCLUSÃO   160

O encontro entre passado, presente e futuro

GLOSSÁRIO   168

OS AUTORES   172

Prefácio

TRANSFORMAÇÃO EM TEMPO REAL

Por Donald Berwick *
Pedro Delgado **

O rádio transformou a sociedade. Em seguida, a televisão tomou o seu lugar. Atualmente, nenhum jovem é capaz de imaginar a vida sem um *smartphone*, mas seus pais viveram exatamente assim (sem nem imaginar que um dia existiriam *smartphones*). A ficção científica de 20 anos atrás é a realidade de hoje. Já é possível enxergar a chegada dos carros inteligentes e autônomos (sem motorista), a inovação incentivada pelo aprendizado de máquina e a robótica avançada. Estamos em meio ao que tem sido chamado de Quarta Revolução Industrial.

Na área da saúde, estamos vendo em nossas viagens pelo mundo a transformação ocorrendo em tempo real. Enquanto a operadora de saúde estadunidense Kaiser Permanente, por exemplo, já registra mais consultas ambulatoriais virtuais que presenciais, o sistema de saúde inglês (NHS) financia diversas inovações digitais que, de forma

---

* Donald Berwick é presidente emérito e fundador do Institute for Healthcare Improvement (IHI), propositor da política do *triple aim* e ex-Administrador do CMS (Medicare and Medicaid) na gestão Obama. Autor do Berwick Report, relatório de segurança em saúde para o governo inglês, foi homenageado como Knight pela Rainha. Médico pediatra, é professor da Harvard Medical School e da Harvard School of Public Health.

** Pedro Delgado é Diretor para Europa e América Latina do Institute for Healthcare Improvement (IHI). Força motriz na estratégia global da instituição, atua no desenvolvimento e implantação de esforços para melhoria dos sistemas de saúde e redes globais. Entre outros projetos, trabalhou na redução do número de cesarianas (Brasil), na melhoria da educação nos anos iniciais (Chile), da segurança do paciente (Portugal) e da saúde mental (Reino Unido). Atualmente vive no Reino Unido e ministra palestras no mundo todo sobre mudanças em grande escala, segurança do paciente e melhoria da qualidade em saúde.

modelar, iluminam o caminho para o futuro. Os principais atores tecnológicos, como o Google e a Amazon, estão entrando com força nas áreas médica e de cuidados de saúde.

A revolução acontece em um momento particularmente desafiador para os cuidados de saúde, pois há hoje uma disponibilidade limitada de recursos para cuidar de uma população clinicamente complexa que está em crescimento e em processo de envelhecimento. Além disso, as doenças crônicas têm se tornado mais prevalentes e os pacientes têm exigido maior transparência e participação nas decisões sobre cuidados de saúde que os afetam. Todos os países estão preocupados com os custos crescentes dos cuidados médicos e, ao mesmo tempo, relatórios recentes sobre "o abismo da qualidade global dos cuidados médicos" documentam os enormes danos causados pela má assistência. Essas pressões trazem consigo muitos riscos, mas também uma infinidade de oportunidades maravilhosas para a produção da melhor tecnologia digital centrada no paciente, a qual será elaborada por meio da completa agregação dos conhecimentos dos profissionais de saúde, cidadãos e pacientes que imaginarão e produzirão em conjunto a saúde e os cuidados que realmente precisamos e queremos. No futuro, o *triple aim* poderá produzir resultados sem precedentes: melhor saúde para as populações e melhores cuidados para os indivíduos a custos sustentáveis. Este livro será extremamente informativo caso você, assim como nós, esteja em busca de um norte em relação às oportunidades oferecidas pelas tecnologias digitais em saúde e queira, ultrapassando a propaganda e os modismos, enxergar suas reais possibilidades.

Não haverá nenhum tipo de ameaça aos profissionais de saúde se, de forma positiva, concebermos uma era de *deep learning* digital para a assistência médica. Na verdade, a digitalização irá ampliar a capacidade de diagnóstico desses profissionais e permitirá que utilizem seus conhecimentos e habilidades relacionais para oferecer uma melhor assistência aos pacientes. Ela possibilitará graus de transparência e velocidades de aprendizado que poderão mudar radicalmente a forma como utilizamos os recursos do sistema de saúde e, ao mesmo tempo, fortalecerá a sustentabilidade financeira dos sistemas globalmente. No futuro digital correto, as pessoas aproveitarão a tecnologia digital para a manutenção de sua saúde e os pacientes a usarão diariamente para gerenciar suas condições clínicas sem o incômodo de um sistema complicado que atrapalha a cooperação e cria desperdícios. Uma transformação digital adequada permitirá que os sistemas visem mais agressivamente ao acesso equitativo e universal à saúde e assistência de alta qualidade para que ninguém seja deixado de lado. Esse futuro positivo, no entanto, não é algo certo e automático. De fato, caso seja incorretamente planejado e orientado, o futuro digital não trará soluções, mas novos pesadelos que poderão oprimir os pacientes, desmoralizar os médicos, aumentar os custos, ameaçar a privacidade e envenenar os relacionamentos humanos. Em suma, o caminho do sucesso deve passar pela conscientização, pelo diálogo e pelo sentimento de coerência de todos os *stakeholders* do sistema de saúde e do público em geral.

Este livro nos mostra qual caminho seguir para chegarmos a um bom futuro digital para a assistência à saúde. Patrícia, Sidney e Claudio fizeram um favor ao leitor, pois além de apresentarem um conjunto abrangente de ideias visionárias, eles também as aplicaram a exemplos específicos do Brasil, isto é, as ideias visionárias ganharam fundamento em uma realidade local. Eles estruturaram os componentes do novo sistema sequencialmente, começando com uma breve visão histórica dos marcos tecnológicos que formaram o mundo em que vivemos; resumiram os principais elementos que permitirão a criação de novos paradigmas na área da saúde (*big data* e inteligência artificial, a internet das coisas, os prontuários eletrônicos de saúde, a telemedicina); em brilhantes estudos de caso, exploraram como alguns países já estão ambiciosamente construindo programas de saúde que os levarão a uma transformação digital centrada no paciente; e propuseram um roteiro para que o Brasil se prepare para abraçar o futuro agora. As implicações de suas percepções ultrapassam as fronteiras do Brasil. As análises pragmáticas e recomendações concretas e sistemáticas deste livro o tornam tão valioso para o Brasil quanto para outros países da América Latina e, de fato, para todas as nações do mundo. De forma categórica, os autores confrontam as dimensões éticas da transformação, ajudando a demonstrar quais valores devem ser defendidos com vigor e clareza.

Neste momento de rápida mudança e incertezas, o caminho adequado para o nosso futuro digital requer que as relações humanas se tornem centrais. A fim de que as imprescindíveis pontes entre o hoje e o amanhã revelem bons resultados para pacientes e comunidades, a bondade, a compaixão, a coragem e a generosidade devem estar em primeiro plano, não a tecnologia. A complexa engenharia da construção de pontes relacionais obriga todos os líderes a prestarem atenção à psicologia da mudança, a fim de liberar a motivação intrínseca dos indivíduos, distribuir poder, coprojetar e coproduzir soluções mutuamente benéficas, bem como adaptar-se durante o próprio processo. Precisamos aprender a caminhar nesta via que nos leva ao futuro – e rapidamente; na área da saúde, a transformação digital centrada nas pessoas será estimulada pela análise de dados, levando à prototipagem rápida e aprendizagem interativa para a inovação e melhoria contínua.

Este livro convida o leitor a refletir. Não oferece nem receitas simples, nem balas de prata. Ele respeita as complexidades da transformação digital. Os autores não têm medo de nomear questões sensíveis – as quantidades enormes de resíduos existentes na assistência à saúde, por exemplo – como problemas que devem ser resolvidos em curto prazo, isto é, questões que não podem ser deixadas de lado. Mas, por fim, e mais importante, eles acreditam que a humanidade é capaz de fazer com que essa transformação sirva aos nossos melhores interesses e aos da posteridade.

Introdução

O NOVO PARADIGMA DA SAÚDE

A necessidade de escrever este livro surgiu da compreensão do momento histórico que testemunhamos: enquanto a digitalização da saúde se dissemina globalmente com velocidade impressionante, se expandem com igual celeridade as lacunas de informação sobre tais avanços no ecossistema da saúde no Brasil e a percepção do real valor que isso poderá agregar. Ao compor um panorama de avanços e dilemas digitais na saúde de diversos países e do Brasil, especificamente, buscamos sistematizar uma base de conhecimento para ampliar a discussão sobre as mudanças em curso e os seus impactos.

A digitalização da medicina e da saúde é parte de uma transformação global abrangente, definida pelo economista alemão Klaus Schwab, criador do Fórum Econômico Mundial, como a Quarta Revolução Industrial. O assunto foi abordado em livro homônimo, em 2016, e atualizado em *Aplicando a Quarta Revolução Industrial,* em 2018. A assim chamada revolução digital envolve a adesão a inovações tecnológicas nos campos da conectividade, informação e controle de dados aplicados à produção de bens e serviços e com impacto econômico, social e político. Estamos falando de tecnologias disruptivas, como a inteligência artificial• (IA), a análise massiva de dados (*big data*•), a computação quântica, a biologia sintética•, a robótica, a realidade aumentada, a nanotecnologia, as aplicações da tecnologia 3D e a internet das coisas• (IoT).

Aplicadas aos cuidados de saúde, ao aumento exponencial da capacidade de processamento de dados e à consequente redução dos seus custos, a IA e a IoT provocaram muitas mudanças e grandes oportunidades. No campo prático, essas tecnologias se desdobram na implementação de prontuários eletrônicos unificados, nas muitas formas de monitoramento e cuidados de saúde a distância (te-

---

Todas as palavras seguidas pelo sinal (•) constam do glossário ao final do livro.

lemedicina); no ganho de maior precisão nos diagnósticos, nas intervenções e na capacidade de dar atendimento mais rápido a quem chega a um pronto-socorro. Ganha o paciente, com a redução de tempo, com cuidado personalizado e com maior segurança; ganham os profissionais de saúde, que conseguem aumentar a taxa de sucesso dos tratamentos, e também o sistema de saúde, ao tornar mais racional o uso dos recursos.

Mas há mais. A chegada dessas ferramentas digitais é um daqueles saltos na história da medicina que elevam o conhecimento sobre o funcionamento do corpo e da mente a um patamar jamais visto. Mudanças desse porte são sempre resultado de avanços conjuntos em todas as áreas da ciência. É impossível falar em IA na saúde sem considerar o conhecimento da matemática e seus algoritmos, da genômica•, da bioengenharia e dos sistemas de armazenamento de dados. Associadas, essas tecnologias estão descortinando possibilidades nunca antes imaginadas no conhecimento do genoma humano, da engenharia metabólica e da biologia sintética. Podemos, por exemplo, instruir células para produzir compostos usados em medicamentos e calcular novas vias de absorção de remédios em nosso corpo. Mas há mais, muito mais. Nesse novo universo, busca-se a convergência desses recursos para conectar os mundos digital, físico e biológico. E, junto com isso, enfrentar os dilemas que surgirão dessa proposição, como a natureza futura dos nossos corpos melhorados com aditivos *hightech*, uma tarefa a ser cumprida por grupos multidisciplinares.

E como estamos nos relacionando com essas mudanças? Bem, há os que se fascinam com possibilidades nem sempre reais e os que veem a tecnologia como mais um instrumento que irá agravar as desigualdades. Um dos grandes receios dos médicos é perder sua posição, emprego ou trabalho ao serem substituídos por um robô ou outras novas tecnologias em um futuro próximo. Não se trata de propriamente de uma fantasia sobre o futuro, pois estamos assistindo a uma redução de postos na indústria com a automação de diversos setores. (Vale lembrar que diante da magnitude das mudanças, é preciso haver programas de requalificação profissional.) O que os processos mostram é que as atividades exercidas por profissionais altamente especializados estão entre as mais seguras e preservadas. Entretanto, adaptações no modo de trabalhar são iminentes e, no fundo, isso sempre aconteceu no contexto da história.

Em grandes centros médicos de ensino e pesquisa, nos hospitais e nas unidades que são a porta de entrada do sistema de saúde, o médico que trabalha sozinho e dá o diagnóstico baseado apenas na sua experiência está cedendo seu lugar aos profissionais que atendem apoiados por sistemas que dão acesso aos dados do paciente e às evidências médicas constatadas pela análise de milhões de casos. Em vez de anotar os dados e enviá-los ao seu arquivo pessoal, o profissional deste novo momento compartilha as informações obtidas do paciente em um prontuário eletrônico unificado que atualiza, em tempo real, a análise preditiva da situação da pessoa em consulta.

Apoiado por esse sistema de dados, o paciente ficará livre da incumbência de relatar tantas vezes quantas pedirem a sua história clínica, ou repetir os mesmos exames em cada etapa do atendimento para a comodidade dos provedores. Com seus dados *on-line*, os cidadãos que precisam de atendimento de urgência poderão ser orientados com mais precisão por serviços que consideram seu perfil de saúde e os centros qualificados mais próximos.

Os desafios são extensos. Assim como a nossa geração de gestores e médicos precisa explorar o potencial desses recursos e ampliar a curva de adesão a eles, há uma nova geração nas faculdades de medicina e ciências da saúde que precisa ser preparada para lidar com a nova realidade e expandi-la. Muitas escolas, no entanto, mantêm seu modelo pedagógico baseado nas práticas autônomas e hospitalocêntricas, algo que beira os cem anos e não responde mais às demandas atuais. Por isso, há escolas repensando a estrutura dos currículos para prover aos alunos o conhecimento tecnológico e o entendimento do que representa trabalhar em equipes. Como se faz um diagnóstico nesse contexto? Uma das perguntas mais comuns feitas pelos profissionais que se deparam com essa opção é como fica a autonomia do médico. Ela está mantida nas especialidades e no compartilhamento da *expertise* com especialistas de outras áreas da medicina.

Outro temor é que a transformação digital aumente ainda mais o distanciamento entre os profissionais e os pacientes, dificultando o cuidado. Fenômeno com múltiplas causas, o desgaste da relação médico-paciente precisa ser analisado em profundidade. No que se refere ao papel da tecnologia nessa questão, ela ganhou uma importância desproporcional na prestação do cuidado. Não é rara a duplicação de exames nem sempre necessários e que talvez nunca sejam abertos, ou médicos que sequer auscultam o paciente. Reflexo desse exagero no uso de aparelhos é o título ostentado pelo Brasil de campeão mundial de ressonância magnética. As novas tecnologias digitais, que permitem consultas não presenciais em diversos países, vêm com o intuito de recolocar o foco da tecnologia no paciente, permitindo a retomada da proximidade e confiança na relação com seu médico. É o paciente quem está no centro do cuidado e não o hospital, o sistema de saúde, as fontes pagadoras e os próprios médicos.

A remuneração é mais um ponto crucial de todo o debate em torno da transformação digital. É preciso haver modelos que remunerem as novas práticas que estão se desenhando. Atualmente, o sistema é baseado no chamado *fee for service*. O paciente, seu seguro de saúde ou o Sistema Único de Saúde (SUS) pagam pela utilização extensiva dos recursos. Quanto mais exames e procedimentos são realizados, mais se paga. A tecnologia, que economiza recursos e procedimentos, que faz mais com menos, inviabiliza esse modelo antigo. O modelo de negócio que embasa a medicina hoje caminha para a remuneração por resultado, por desfecho e, em síntese, por valor. É um formato que começa a se implementar em hospitais e operadoras com a criação de "pacotes", com valores definidos e desfecho desejado para o atendimento de cada paciente. São protocolos para determinadas doenças, como a endometriose, baseados em melhores evidências clínicas e desfecho.

A sustentabilidade do sistema talvez seja o aspecto que mais tira o sono dos gestores de diversos países. Indistintamente, as nações estão se deparando com o desafio de garantir o atendimento a uma população cada vez maior e mais idosa do que no início do século 20. Se o envelhecimento populacional é bastante positivo e um sinal da melhora dos índices de desenvolvimento humano, acrescenta complexidade ao trabalho dos gestores. Como se preparar para cuidar de uma população mais predisposta a desenvolver doenças crônicas, como o diabetes ou neurodegenerativas, como Parkinson e Alzheimer? São enfermidades que costumam conviver com o envelhecimento e demandam cuidados intensos, caros e prolongados.

A adoção de ferramentas como a IA e a telemedicina é um caminho para remodelar os sistemas, traçar políticas de atendimento mais eficientes e otimizar os recursos, sempre escassos, sejam eles humanos, materiais ou financeiros. Levantamentos validam essa diretriz. Dados da consultoria Accenture indicam que a IA teria o poder de poupar US$ 150 bilhões nas estruturas norte-americanas de saúde até 2026. Segundo a McKinsey & Company e a German Managed Care Association (BCM), o sistema de saúde alemão conseguiria poupar € 34 bilhões em 2018 se fizesse uso pleno de diversas tecnologias digitais em áreas da saúde. O valor foi calculado considerando aspectos como corte de desperdícios, detecção de fraudes, e economia de tempo e de leitos obtidos por sistemas inteligentes. Evidentemente, não se trata de tecnologia pela tecnologia, mas de fazer dela um instrumento real de eficiência naquilo que é o propósito máximo da medicina: tratar o paciente na sua integralidade, com qualidade, equidade e de maneira sustentável.

Chamamos também a atenção para o fato de que a revolução digital está sendo desenvolvida e expandida por nós. Na saúde, sua inserção passa pelas decisões tomadas por lideranças, gestores e pela adesão do corpo de especialistas. É uma oportunidade singular para garantir que sua incorporação seja guiada por princípios éticos, com a criação de um arcabouço legal que proteja os dados dos pacientes e garanta que seus recursos sejam direcionados para melhorar o cuidado com o paciente, reduzir o custo do cuidado e investir na prevenção da saúde populacional.

Por fim, devemos ter em mente que a transformação digital ganha velocidade e é fácil perdermos o controle de sua implementação sem propósitos e valores alinhados e claros. A questão não é usar a tecnologia para conter custos, gerar lucro e cuidar de mais gente. Trata-se de integrar os avanços digitais a um processo mais abrangente de acesso aos recursos da medicina e promoção da saúde. Precisamos que a tecnologia esteja ao nosso lado para melhorar a sociedade e a situação do mundo.

Capítulo 1

OS CAMINHOS DA TRANSFORMAÇÃO

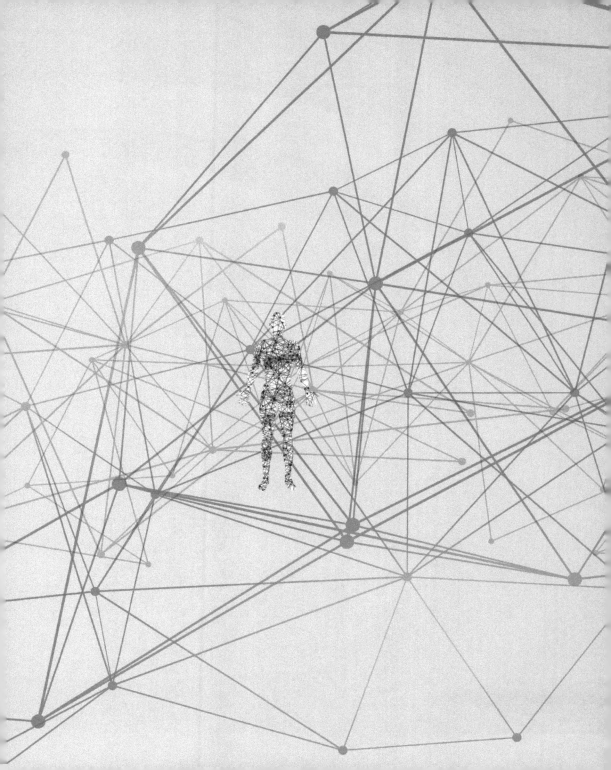

Parte 1

UMA BREVE HISTÓRIA DA REVOLUÇÃO DIGITAL

A revolução digital é um marco na história da humanidade. O acesso massivo a informações, o compartilhamento de ideias e a realização de tarefas por máquinas – em vez de por homens – estão mudando a forma de trabalhar, de interagir e de pensar a respeito de como as sociedades evoluem. Descobre-se, pouco a pouco, que os limites de ontem não são mais os de hoje e que o mundo avança em tecnologia e conhecimento de maneira inédita.

Como tudo o que se refere a grandes conquistas, o estado atual alcançado entre homens e as chamadas máquinas inteligentes é resultado de uma longa história de erros e acertos, cujo início remete à Antiguidade, aos fantásticos gregos e sua incrível determinação em tentar enxergar além do que o mundo concreto lhes oferecia. Segundo a mitologia grega, Hefesto, o deus do trabalho, dos escultores e da metalurgia, criou Pandora, a primeira mulher, a mando de Zeus, para ser ofertada como um presente a um titã. A figura mítica, fabricada com metais autômatos, era feita à semelhança dos humanos; tanto Hefesto quanto Atena, a deusa da sabedoria e da arte, conferiram a ela qualidades como paciência, meiguice e inteligência. Trazida aos tempos de hoje, fica fácil enxergar Pandora em assistentes virtuais• como a Siri, criada pela Apple, ou nas diversas versões digitais hoje capazes de detectar o humor de um ser humano a partir do tom de sua voz.

Textos antigos mencionam criações semelhantes, porém distantes da esfera mitológica. Na China antiga, um artesão, de nome Yan Shi, teria mostrado ao rei Mu Wang uma figura autômata com aparência humana capaz de cantar, de caminhar e fazer galanteios. Isso está registrado em um texto do século 3 a.C. Centenas de anos depois, em 1495, Leonardo Da Vinci, o gênio italiano renascentista, criou o que hoje se considera o primeiro robô humanoide documentado: um cavaleiro mecânico feito com pedaços de armadura capaz de executar alguns movimentos parecidos com os dos humanos.

A ideia de transcender a si mesmo e criar obras que reproduzam seu comportamento e desempenho cerebral é tão intrínseca à humanidade que grande parte dos pensamentos filosóficos a contempla de alguma maneira. *Leviatã*, obra publicada em 1651 pelo matemático e filósofo inglês Thomas Hobbes (1588/1679), e considerada fundamental para o entendimento do poder e da política, lança uma espécie de teoria "mecânica" da cognição ao analisar de que forma a sociedade se organiza e explicar por que os humanos agem como agem. Hobbes afirma, entre outros conceitos, que a arte do homem é capaz de fazer um animal ou um homem artificial. Nesse caso, o homem artificial seria a coisa pública, o Estado.

No mesmo século, René Descartes (1596/1650), filósofo, físico e matemático francês, propôs que os animais nada mais eram do que máquinas complexas. O século 17 foi prolífico. Em 1642, Pascal inventou uma calculadora mecânica e, 30 anos depois, o alemão Gottfried Leibniz desenvolveu o conceito de uma espécie de alfabeto do pensamento humano. Era uma tentativa de interpretar ideias e relações a partir de cada componente, provando que o pensamento podia ser desconstruído de maneira a possibilitar a identificação mais facilmente de peças-chave de sua composição. Isso abria as portas para encontrar denominadores comuns entre eles e fazer correlações com comportamentos e ações específicas. Ou seja, encontrar uma base para criar um pensamento artificial coerente e muito próximo do real.

Desmembrar a inteligência humana, olhar seus componentes e atribuí-los às máquinas a nosso serviço misturou – e mistura até hoje – campos à primeira vista

René Descartes (1596/1650), filósofo, físico e matemático francês, propôs que os animais nada mais eram do máquinas complexas

distintos, como filosofia, matemática e arte. Mas, como determina a ordem atual, é a transdisciplinaridade que move o progresso. Um aspecto interessante é ver como toda essa combinação é representada na arte. Atualmente, são conhecidos sucessos hollywoodianos que tiveram como tema a IA. *Blade Runner*, de 1982, que narrou uma trágica trama que envolvia humanos e robôs e uma mistura exótica de sentimentos entre eles, e *Inteligência Artificial*, de 2001, que levou ao cinema um menino-robô, David, programado para amar, são exemplos de como o tema sempre fascinou. Pode-se dizer que o primeiro clássico que tratou do tema foi *Frankenstein* ou o *Prometeu Moderno*, livro da escritora inglesa Mary Shelley cuja primeira edição foi publicada em 1818. Mais de cem anos depois, em 1921, o autor tcheco Karel Capek finalmente cunhou o nome robô, falado pela primeira vez na sua peça *R. U. R.*, que contava a história de um cientista brilhante que criava humanoides, os tais robôs, para realizarem trabalhos antes feitos por humanos.

> Cientistas apresentam estruturas de raciocínios artificiais em forma de modelo matemático imitando o sistema nervoso.

O século 20 foi marcado por descobertas importantes em todas as áreas da ciência. Os avanços na Matemática, na Física e no conhecimento de como funciona o cérebro humano possibilitaram o grande salto do conceito da IA para a construção de máquinas que são baseadas nessa inovação. Toscos para quem os enxerga hoje, os primeiros computadores cumpriram funções importantes, especialmente durante a Segunda Guerra Mundial, quando a necessidade de planejamento de ações e de quebra de códigos, por exemplo, se fazia urgente. É do engenheiro berlinense Konrad Zuse (1910/1995) o feito de ter criado o primeiro computador do mundo e a primeira linguagem baseada em algoritmos, em 1941.

O período seguinte foi de intensa e brilhante produção. Em um artigo publicado em 1943, os pesquisadores Warren McCulloch e Walter Pitts descreveram pela primeira vez como funcionariam as redes neurais•, uma forma de comunicação, transmissão e análise de dados digitais que mimetiza o funcionamento dos circuitos neurais do cérebro humano. É uma proposta muito interessante. O formato apresentado pelos cientistas é constituído por estruturas de raciocínios artificiais em forma de modelo matemático imitando o sistema nervoso, o que implica a utilização de transmissão e interpretação das informações de forma equivalente à que ocorre dentro do cérebro. Linhas neuronais são responsáveis pelo armazenamento de informações e pela sua distribuição por estruturas que as avaliam do ponto de vista de racionalidade e de cruzamento de dados para chegar a conclusões.

As máquinas realmente inteligentes começaram a surgir a partir da década de 1950. Naquele ano, o norte-americano Claude Shannon apresentou uma forma de programar uma máquina para jogar xadrez usando cálculos de posições simples, mas eficientes *(The History of Artificial Intelligence. Science in The News,* Harvard University). Já o matemático inglês Allan Turing promoveu um dos maiores progressos da área. Durante a Segunda Guerra, Turing ajudara o governo britânico a descobrir os códigos de comunicação utilizados internamente pelo exército alemão, o que resultou no fracasso de várias operações planejadas pelos nazistas. Em 1950, ele desenvolveu um sistema capaz de testar a capacidade de uma máquina de exibir comportamento humano equivalente a um ser humano, ou indistinguível deste, em uma conversa por escrito lida por um avaliador. Foi o chamado Teste de Turing. A façanha foi retratada, em 2014, no filme *O Jogo da Imitação*, com o ator Benedict Cumberbatch, que recebeu o Oscar de melhor roteiro adaptado.

EVOLUÇÃO DA TECNOLOGIA

Antiguidade
Na mitologia grega, Hefesto cria Pandora, a primeira mulher, feita com metais autômatos

1495
Leonardo da Vinci cria um cavaleiro mecânico produzido com pedaços de armadura

1642
Pascal inventa uma calculadora mecânica

26

O impacto da empreitada de Turing foi decisivo para que a década fosse marcada por grandes feitos. Um ano depois, surgiu pela mão de Marvin Minsky, aluno de McCulloch e Pitts que descreveram as redes neurais• pela primeira vez, uma calculadora que executa operações matemáticas simulando sinapses, que são os espaços entre os neurônios por onde são transmitidas as informações.

Em 1956, as pesquisas caminhavam muito, mas de forma ainda fragmentada e em centros distantes uns dos outros. A ideia de reunir os principais pesquisadores em Dartmouth, nos Estados Unidos, foi o marco zero para que o novo campo se estruturasse e finalmente ganhasse o nome de inteligência. Foi nesse evento histórico que o conceito básico da área foi sedimentado: cada aspecto de aprendizado ou outras formas de inteligência podem ser descritos de maneira tão precisa que uma máquina pode ser criada para simulá-los.

> O marco zero para que o novo campo se estruturasse e finalmente ganhasse o nome de inteligência foi em Dartmouth.

Após o evento em Dartmouth, os pesquisadores sentiram-se fortalecidos para lutar pelo reconhecimento da nova área científica que nascia e buscar recursos para

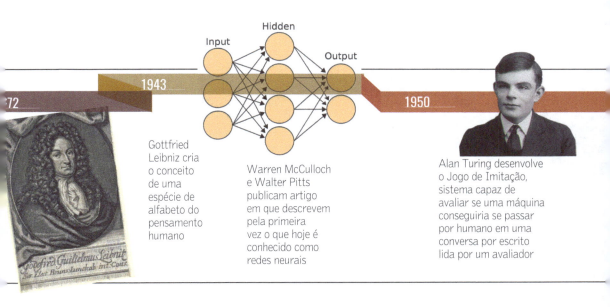

Gottfried Leibniz cria o conceito de uma espécie de alfabeto do pensamento humano

Warren McCulloch e Walter Pitts publicam artigo em que descrevem pela primeira vez o que hoje é conhecido como redes neurais

Alan Turing desenvolve o Jogo de Imitação, sistema capaz de avaliar se uma máquina conseguiria se passar por humano em uma conversa por escrito lida por um avaliador

que os projetos saíssem do papel. Órgãos públicos e privados, encantados com as possibilidades apresentadas, decidiram investir pesado, incluindo a Agência Projetos de Pesquisas Avançadas dos Estados Unidos, onde nasceu a internet.

O apelo da IA parecia infinito. Em 1959, surgiu pela primeira vez o conceito *Machine learning*• que, literalmente, significa uma máquina com capacidade de aprender e evoluir a partir disso. Basta apenas alimentá-la com informações que, com o tempo, ela não só executará as funções para as quais foi criada como também poderá realizar tarefas paralelas automaticamente. Em 1964, veio a Elisa, que conversava com o usuário imitando uma psicanalista, recorrendo a respostas baseadas em palavras-chave e em frases sintéticas.

No início da década de 1970, apesar de todas as expectativas, o campo da IA não havia decolado como se esperava. Entre o início dos anos 1970 e meio dos anos 1980, houve o chamado inverno da IA. Poucas novidades, certo desânimo nas pesquisas e consequentes cortes nos investimentos. Um período de altos e baixos se sucedeu nos anos seguintes. Um dos campos que tornou possível a retomada das inovações, no início dos anos 1980, foi o surgimento dos *softwares* especialistas, capazes de realizar operações mais complexas e rápidas, como um ser humano, mas bem mais velozes.

1956
Acontece a Conferência de Dartmouth, reunindo os principais pesquisadores da área.
Pela primeira vez, o termo inteligência artificial aparece

1959
Surge o primeiro sistema de *Machine learning*: quando uma máquina tem capacidade de aprender e evoluir a partir dos conhecimentos adquiridos

1970 a 1980
Ocorre o chamado inverno da inteligência artificial.
Investimentos são reduzidos e as descobertas, escassas

Também nessa década, outra potência mundial, o Japão, decide entrar no jogo, mas o movimento não é tão bem-sucedido. A indústria japonesa acelerou a produção de microprocessadores• e superaceleradores, mas a estratégia de investimento não foi focada e o momento logo virou mais um período de baixa na IA.

A combinação perfeita entre IA e todo o seu potencial aconteceu com a explosão da internet, na segunda metade da década de 1990. Com o alcance estupendo da rede mundial, um oceano de possibilidades comerciais e de pesquisa foi aberto. Gigantes inicialmente voltados somente para sistemas de busca, como o Google, tomaram lugar central na forma de estruturação dos estudos e da pesquisa aplicada. Em 1997, uma máquina finalmente derrotou o homem em um jogo de xadrez: o campeão russo Garry Kasparov foi derrotado pelo Deep Blue, da IBM. Ele tinha um método de cálculo que usava a força bruta, analisava possibilidades, previa as respostas e sugeria o melhor movimento.

> A combinação perfeita entre IA e todo o seu potencial aconteceu com a explosão da internet.

A partir desse momento, a evolução da IA promoveu revoluções em todas as áreas do comportamento humano. A saúde foi uma das mais beneficiadas, com sistemas hoje capazes de fazer diagnósticos, indicar tratamentos, operar equipa-

Metade dos anos 1990 — Com a explosão da internet comercial e das redes sociais, começa o desenvolvimento de sistemas de indexação e classificação de dados

1997 — O Deep Blue, da IBM, vence o super campeão mundial de xadrez, o russo Garry Kasparov

2011 — Siri, Alexa e Google assistente entram em cena

29

mentos e realizar uma série de atividades que trazem benefícios a médicos, gestores e pacientes, como nunca antes a medicina havia visto. Um dos primeiros exemplos foi o Watson, supercomputador e plataforma de IA lançada pela IBM em 2011, que serve a diversas áreas, entre elas a medicina. É essa história que contaremos neste livro, abordando como a revolução digital deixou o cenário pictórico para se consolidar, hoje, como a ferramenta que mudará a medicina para sempre.

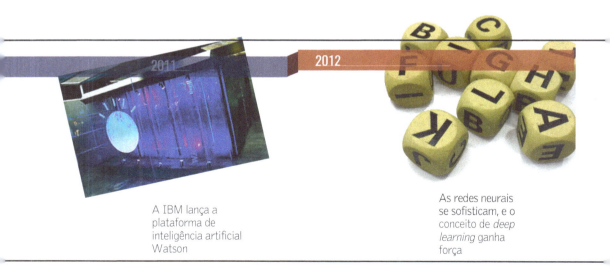

A IBM lança a plataforma de inteligência artificial Watson

As redes neurais se sofisticam, e o conceito de *deep learning* ganha força

Parte 2
O IMPACTO DA TECNOLOGIA DIGITAL NA SAÚDE

Desde a virada do século 20 para o 21, vivemos uma transformação acelerada que vem sendo chamada de Quarta Revolução Industrial (Klaus Schwab, *A Quarta Revolução Industrial*, Edipro).

A Primeira Revolução Industrial foi deflagrada pela invenção da máquina a vapor e sua aplicação à produção e aos transportes (entre 1760 e 1840), substituindo a força humana pela força mecânica. O mundo ficou definitivamente pequeno com o surgimento das ferrovias e dos navios a vapor. A indústria passou a ocupar o centro dinâmico da economia, com as fábricas substituindo as oficinas de artesanato e promovendo profundas modificações na vida social. O campo se especializou para servir à indústria com matérias-primas, acabando com a pequena produção e expulsando a mão de obra para as cidades, que passam a atrair milhares de pessoas. Foi o início da era moderna.

A Segunda Revolução Industrial ocorreu no final do século 19, com o advento da eletricidade e da linha de montagem, dois fatores que permitiram ampliar a escala de tudo o que é feito e pensado. A produção industrial cresceu e se acelerou, promovendo a redução dos preços de produtos e o consumo em massa. As cidades foram iluminadas, o tempo de estudo da população cresceu, bem como a oferta de cursos técnicos. Surgiu o automóvel e com ele as rodovias e a ideia de tempo livre e de lazer. Logo vieram o rádio, o cinema e a indústria do entretenimento.

A Terceira Revolução Industrial, a partir dos anos 1960, tem no seu centro o desenvolvimento e a progressiva popularização dos computadores, com uma crescente digitalização das várias facetas de vida. As redes de computadores espalharam-se por todas as esferas produtivas, com a automação industrial e dos serviços. O telefone celular e a internet revolucionaram as comunicações, radicalizando a globalização.

A Quarta Revolução, na virada do milênio, é um acúmulo de tudo isso e de um salto de qualidade. É marcada pela IA, a disseminação da robótica, a internet das coisas, os veículos autônomos, a impressão em 3D, a nanotecnologia, a biotecnologia, o armazenamento de energia e uma série de novas ferramentas e tecnologias impulsionadas pelo aumento da velocidade de processamento dos dados, pela redução dos custos e pelas possibilidades trazidas pelas conexões entre os dispositivos tecnológicos.

De acordo com Klaus Swchab, "é a fusão dessas tecnologias e sua interação entre os domínios físico, digital e biológico que tornam A Quarta Revolução Industrial fundamentalmente diferente das revoluções anteriores" (*A Quarta Revolução Industrial*). É a era das coisas, serviços e pessoas se conectando através de redes inteligentes. Espaços também pode ser inteligentes – veículos, residências, empresas, escolas, cidades. É uma época de aprofundamento das inovações no campo da biologia, particularmente na genética e da chamada biologia sintética, com a capacidade de modificar organismos existentes alterando seus códigos genéticos, e de criar organismos personalizados (animais, plantas) e adaptá-los a condições adversas.

As empresas mais valorizadas do mercado têm seus negócios centrados nesse novo mundo virtual, como a Apple, que produz iPhones e computadores, o Facebook e a Amazon. A própria lógica de fazer negócios muda, como ex-

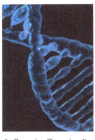

A Quarta Revolução Industrial distingue-se pela velocidade, amplitude e profundidade das mudanças, fusão de tecnologias e interação entre os domínios físicos, digitais e biológicos

pressa Tom Goodwin, um consultor de tecnologia norte-americano que ficou famoso pela frase que viralizou nas redes sociais: "A Uber, a maior empresa de táxis do mundo, não possui sequer um veículo. O Facebook, o proprietário de mídia mais popular do mundo, não cria nenhum conteúdo. A Alibaba, o varejista mais valioso, não possui estoques. E o Airbnb, o maior provedor de hospedagem do mundo, não possui sequer um imóvel".

Capacidade e custo de processamento de dados

Em 1965, o engenheiro Gordon Moore, um dos pioneiros do Vale do Silício, polo mundial da moderna indústria de informática, previu que a capacidade de processamento dos computadores dobraria a cada 12 meses, enquanto o tamanho dos processadores cairia pela metade, mantendo-se o mesmo custo. Essa taxa de crescimento seria seguida até 1980 quando passaria então a ser a cada dois anos.

Moore era um especialista no assunto e sabia do que estava falando. Ele fundara, à época, e era diretor de pesquisa da Fairchaild Semiconductor, uma das primeiras empresas do mundo a produzir os revolucionários semicondutores de silício. Mais tarde, criou a Intel, que se tornaria a maior produtora de microprocessadores do planeta.

Logo, o que ficou conhecido como a Lei de Moore se tornaria um objetivo para a indústria de semicondutores, incluindo os fabricantes de memórias RAM, placas de vídeo e *chipsets* e para a própria Intel, que passou a investir pesadamente em pesquisa e desenvolvimento para manter o ritmo acelerado de inovação, garantindo a realização das previsões e a competitividade entre pares altamente inovadores e criativos.

À medida que crescia a capacidade de processamento de dados e a competitividade entre as empresas, seus custos caíram vertiginosamente. O custo de armazenagem de um gigabyte na nuvem é cerca de mil vezes menor hoje do que há dez anos. Há cerca de três anos, com US$ 1 mil conseguia-se atingir o poder de processar a capacidade do cérebro de um rato. A partir de 2023, espera-se conseguir com os mesmos US$ 1 mil processar a capacidade de um cérebro humano, e entre 2030 a 2040, de todos os seres humanos.

> A partir de 2023, espera-se conseguir processar a capacidade de um cérebro humano por apenas US$ 1 mil.

ELEMENTOS QUE VIABILIZAM NOVOS PARADIGMAS EM SAÚDE

Big data e inteligência artificial
Aumento exponencial da capacidade de processamento de dados e redução de seu custo, *machine learning*

Internet das coisas
Conexão em rede de objetos físicos de diferentes tipos e a leitura e interpretação de seus dados

Prontuário eletrônico de saúde
Tecnologia que permite registrar todas as informações relevantes à saúde de um paciente e apresentá-las ao médico de forma a fornecer um quadro significativo

Telemedicina
Conjunto de tecnologias que viabiliza o atendimento e acompanhamento a distância do paciente.

Esse aumento da capacidade de processamento de dados e sua dramática redução de custos, que ensejaram o desenvolvimento da IA, da internet das coisas, dos prontuários eletrônicos de saúde unificados e da telemedicina, viabilizaram a ruptura dos padrões anteriores de cuidado médico e revolucionaram a medicina.

Inteligência artificial

A Quarta Revolução Industrial está centrada na IA, sistema de processamento de dados que procura reproduzir as funções cognitivas humanas, porém com uma velocidade e capacidade de relacionar e analisar informações multiplicadas de forma exponencial. Sua utilização na área de saúde vem promovendo uma mudança de paradigma, impulsionada pelo aumento da disponibilidade de dados de assistência médica e pelo rápido progresso das técnicas de análise. Nos últimos dois anos, foram gerados mais dados do que em toda a história da humanidade – é o que se chama de *big data*. Dessa quantidade de dados gerados, a maior parte relaciona-se com saúde.

No entanto, antes que os sistemas de IA possam ser implantados em aplicações de saúde, eles precisam ser "treinados", ou seja, agora, as máquinas aprendem. Esse aprendizado se dá pela absorção de dados gerados a partir de atividades clínicas, como triagem, diagnóstico, resultados de exames, tratamentos e assim por diante. A máquina aprende a partir de casos semelhantes, por meio de associações entre características, absorvendo dados demográficos e comportamentais, anotações médicas, gravações eletrônicas de dispositivos médicos, exames clínicos, laboratoriais e de imagens.

> As máquinas aprendem absorvendo dados gerados em atividades clínicas, como triagem, diagnóstico, resultados de exames e tratamentos.

As técnicas de IA incluem métodos de aprendizado de máquina para dados estruturados (como imagens, dados genéticos e eletrofisiológicos), mas também o processamento de linguagem natural para dados não estruturados, extraindo informações de anotações clínicas (inclusive escritas à mão) e periódicos médicos, para complementar e enriquecer dados médicos estruturados.

Os processos e métodos de aprendizagem também evoluem. Os algoritmos• – as receitas que mostram, em linguagem de programação, os procedimentos necessários, passo a passo, para a resolução de uma tarefa – são cada vez mais complexos.

Inicialmente, os primeiros algoritmos de aprendizagem de máquinas foram projetados para analisar dados nos quais a quantidade de características era pequena. No entanto, na área médica, muitos dados têm grande número de características, como as imagens, que contêm milhares de pixels. Nesses casos, modernas técnicas, como as de redes neurais, vêm sendo usadas para o aprofundamento do aprendizado das máquinas. Redes neurais são técnicas computacionais baseadas em modelos matemáticos inspirados na estrutura neural de organismos inteligentes, com vários e articulados centros de processamento, como os neurônios, que adquirem conhecimento através da experiência.

Nas aplicações médicas, os algoritmos de aprendizagem profunda comumente usados incluem vários modelos de rede neural. Com essa técnica, as referências acumuladas pela IA por meio do aprendizado das imagens têm auxiliado no diagnóstico de doenças, como cataratas congênitas oculares, retinopatia diabética e câncer de pele.

Com o acesso aos dados clínicos de cada paciente em tempo real e a visão do conjunto dos pacientes, bem como de banco de dados com evidências médicas coletadas em milhões de casos (*big data*), foi possível aprofundar o conhecimento sobre o perfil de cada paciente e de sua condição de saúde, com novas possibilidades de aprimoramentos de sua jornada e no desfecho de seu tratamento.

Internet das coisas

A internet das coisas (IoT – *internet of things*) é a conexão em rede de objetos físicos de diferentes tipos e para variados fins, com grande impacto em todas as frentes, diversos setores e contextos, mundialmente é conhecida pela sigla IoT, do nome em inglês *internet of things*. Algumas aplicações terão profundo impacto na produtividade das empresas; ao mesmo tempo, serviços poderão ser melhorados de forma significativa. Carros, eletrodomésticos, máquinas agrícolas, monitores cardíacos ou de glicemia, entre outras dezenas de bilhões de dispositivos estarão ligados à internet ou à rede de algum hospital ou centro de atendimento, colhendo dados, gerando informações e permitindo a comunicação inteligente e mesmo autônoma entre dispositivos.

Os exemplos se disseminam em várias frentes e vão desde o monitoramento remoto de pacientes e atuação sobre possíveis problemas de saúde até a correção do nível de irrigação de colheitas, direcionamento de aerogeradores em função das condições climáticas, localização de vagas de estacionamento para carros ou automação da reposição de estoque em grandes empresas. Em termos globais, a internet das coisas (IoT) pode gerar ganhos econômicos entre US$ 4 trilhões e US$ 11 trilhões até 2025, contribuindo com 11% do PIB global (McKinsey).

INTERNET DAS COISAS E OS DESAFIOS EM SAÚDE

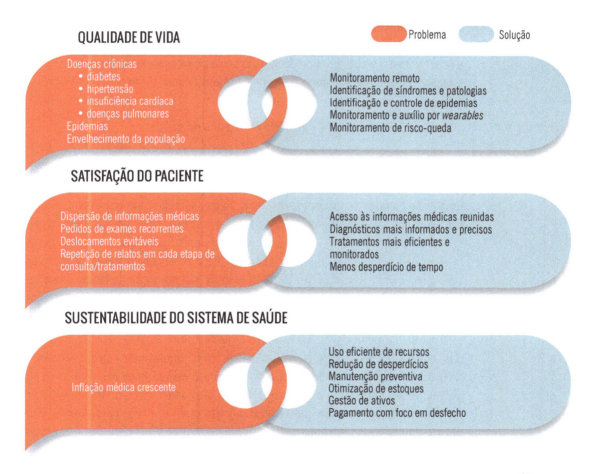

O número de dispositivos conectados à internet irá saltar de cerca de 10 bilhões em 2015 para 34 bilhões até 2020, quando a população no planeta alcançará 7,6 bilhões de pessoas – resultando em uma média superior a quatro dispositivos por pessoa (consultoria BI Intelligence).

A área da saúde será a terceira mais impactada no mundo; com ganho econômico potencial de US$ 0,2 trilhão a US$ 1,6 trilhão. No Brasil, a internet das coisas pode adicionar US$ 200 bilhões até 2025 e o setor da saúde será o mais impactado, com ganho econômico potencial de US$ 5 bilhões a US$ 39 bilhões (*Internet das Coisas: um Plano de Ação para o Brasil*, BNDES, 2017). A IoT pode contribuir para avançarmos nos três principais objetivos do sistema de saúde: garantir a qualidade de vida dos pacientes, sua satisfação e a sustentabilidade financeira do sistema. Pode também contribuir muito para encontrar soluções para os quatro principais desafios do sistema de saúde: a promoção da saúde e a prevenção de doenças; a prevenção e o tratamento de doenças crônicas; o manejo de doenças infectocontagiosas e a obtenção de ganhos de eficiência e economia de recursos no sistema.

Prontuário eletrônico de saúde

O prontuário eletrônico da saúde• unificado é uma das ferramentas que sintetiza o progresso que a tecnologia trouxe para o cuidado em saúde. Sua adoção é tão indispensável quanto uma ampla cobertura do sistema de saúde, pois permite uma visão completa e integrada da condição de saúde de cada paciente. É essencial para agilizar o tempo de cuidado e guiar a tomada de decisão das equipes de atendimento. Evita que a cada consulta o paciente precise repetir todas as informações sobre sua condição de saúde e que os médicos peçam novamente os mesmos exames solicitados anteriormente.

Associados à IA e à IoT, os prontuários eletrônicos melhoram a qualidade da jornada de cuidado do paciente.

Aqui vale a pena deixar claro sobre o que estamos falando. É comum o uso das expressões prontuário eletrônico médico, ou simplesmente prontuário eletrônico, como sinônimos de prontuário eletrônico de saúde ou prontuário único de saúde. No entanto, a diferença entre os termos é bem significativa, tanto em relação às ferramentas que elas designam quanto à tecnologia necessária para viabilizar essas ferramentas (*National Coordinator for Health Information*

Technology). Prontuário eletrônico ou prontuário eletrônico médico• deriva da expressão *electronic medical records* (EMR), que é a versão digital dos tradicionais prontuários registrados em papel nos consultórios médicos, nas clínicas e nos hospitais. Esses prontuários contêm os dados clínicos de cada paciente, elaborados pelo médico ou equipe médica no consultório, clínica ou hospital, e são usados para diagnóstico e tratamento. São mais valiosos do que os registros em papel porque permitem que os provedores acompanhem os dados ao longo do tempo, identifiquem os pacientes para visitas e exames preventivos e possam monitorá-los mais facilmente, melhorando a qualidade dos serviços de saúde.

Já os prontuários eletrônicos de saúde, do inglês *electronic health records* (EHR), também chamados prontuários únicos ou unificados de saúde (*individual health records* – IHR), são construídos para irem além dos dados clínicos padrão coletados nos consultórios ou hospitais e incluírem uma visão mais ampla do cuidado do paciente e de sua saúde. Contêm informações de todos os médicos envolvidos com esse paciente, em diferentes especialidades, resultados de exames clínicos e de imagem, prescrições de medicamentos, dados demográficos e outros elementos que importam à saúde, como atividades físicas, tipo de alimentação, relação com a bebida, tabagismo e uso de drogas, entre outros.

Existem sistemas que permitem a integração entre esses dois prontuários. Para isso, é preciso recorrer a uma tecnologia para recepção todos os dados – conhecida como *landing zone* – e, com o uso da IA, organizá-los em uma hierarquia de acordo com sua importância, para que o médico possa ter uma visão clara e imediata da condição de saúde do paciente.

Associados à IA e à IoT, os prontuários eletrônicos permitem uma expressiva melhoria de qualidade na jornada de cuidado do paciente e na construção de soluções mais eficientes e inovadoras.

Em termos mais amplos e sistêmicos, essas tecnologias, ao lidarem com grandes bancos de informação médica, permitem conhecer as principais causas de morbidade e fornecer informações que contribuam para a elaboração de políticas para prevenção e acompanhamento desses casos. Além disso, possibilitam identificar os estratos populacionais que mais demandam o sistema de saúde, os custos gerados, e traçar estratégias para atendê-los de forma mais eficiente. Mostram, ainda, os procedimentos mais utilizados nos hospitais, o desempenho das equipes médicas, o resultado dos tratamentos propostos e a identificação das falhas existentes – fatores que devem ser objeto de programas de mitigação.

A identificação da condição de saúde de uma pessoa permite delinear uma estratégia de tratamento, com a implementação de programas, a medição e o monitoramento de suas reações e resultados, o que possibilita atuar na jornada completa de cuidados e gerar novos dados que irão alimentar tanto seu prontuário quanto o sistema de informação geral. Algumas aplicações que utilizam tecnologias mais complexas para analisar os dados obtidos pelo monitoramento individual (*research analytics*) permitem antecipar o diagnóstico de algumas doenças, como Alzheimer, em até 15 meses, antecipando também o início do tratamento.

Telemedicina

As formas mais conhecidas de telemedicina são a teleconsulta, as teleconferências entre especialistas para discutir casos ou dar segundas opiniões e o acompanhamento de procedimentos cirúrgicos ou exames por especialistas a distância. Mas esse é um campo bem mais amplo. Em sua essência, a telemedicina consiste no uso de recursos de telecomunicação e tecnologias digitais para promover a troca de dados e informações de saúde a distância. Pode envolver *wearables*•, *smartphones*, telefones, *e-mail*, *tablets*, computadores, linhas telefônicas, rádio, satélites. Enfim, todo meio que viabilize a troca de dados em ambiente digital seguro entre profissionais da saúde, prestadores de serviços ou entre os médicos e seus pacientes.

Além das teleconsultas, o monitoramento pode ser complementado pelos múltiplos aplicativos, como os que medem a pressão arterial, os batimentos cardíacos, a glicemia, a aplicação de insulina. No Reino Unido, por exemplo, é crescente o uso de programas e ações de telessaúde para reabilitação cardíaca, ortopédica e respiratória, bem como para prevenção e mudança de hábitos, como a oferta de aconselhamento (*coaching*) para atividade física ou dieta.

A telemedicina tanto pode evitar visitas desnecessárias ao médico quanto detectar emergências, encaminhando uma parcela dos usuários aos serviços de pronto atendimento. Há um número crescente de serviços telefônicos e *chatbots*• que podem ser acessados por pessoas com sintomas ou dúvidas para obter as primeiras orientações ou ser acompanhado a distância pela equipe médica responsável por seu tratamento. Os pacientes sentem-se mais bem atendidos e muitos acham mais fácil e menos oneroso buscar informações por esses meios. Além disso, o uso da telemedicina aumenta a eficiência dos serviços de atenção ao melhorar a separação entre os casos de alta e os de baixa complexidade.

Uma das primeiras áreas a se beneficiar dessa possibilidade foi a radiologia. As plataformas para transmissão, análise de imagens e emissão de laudos (validados por um especialista) representaram avanços em economia de tempo e precisão. A telemedicina também produziu enorme impacto na educação e na pesquisa, melhorando o acesso à informação e ao compartilhando avanços. Na prática, a telemedicina permite a interação de profissionais sem os limites do espaço geográfico ou fronteiras clássicas, propondo novas relações. Traz consigo, no entanto, inseguranças quanto ao atendimento e a necessidade de aperfeiçoamento de protocolos para proteção de dados e do debate sobre novas formas de remuneração dos serviços de atendimento.

Capítulo 2

A EXPERIÊNCIA EM OUTROS PAÍSES

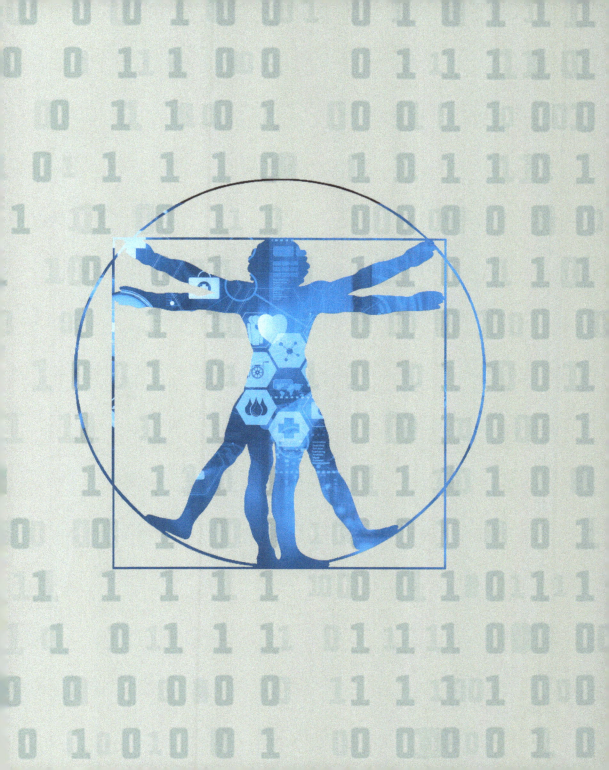

A EXPERIÊNCIA EM OUTROS PAÍSES

Eu já estou com o pé nessa estrada / Qualquer dia a gente se vê
Sei que nada será como antes amanhã
Que notícias me dão dos amigos?/ Que notícias me dão de você?
Alvoroço em meu coração / Amanhã ou depois de amanhã
Resistindo na boca da noite um gosto de sol
Num domingo qualquer, qualquer hora / Ventania em qualquer direção
Sei que nada será como está, amanhã ou depois de amanhã.

Milton Nascimento, um dos talentos mais celebrados da música brasileira e uma referência para grandes nomes do jazz, predisse o futuro quando interpretou magistralmente os versos da canção *Nada Será Como Antes, (Milton Nascimento, Ronaldo Bastos, René Vincent*, 1972). Ele deu forma poética a sentimentos de um tempo que ainda seria vivido, em que tudo se transformaria rapidamente. Vale perfeitamente para o sentimento que predomina na atualidade. O WhatsApp e outros aplicativos recentes mudaram o modo como nos comunicamos, pagamos contas, fazemos investimentos, alugamos um imóvel, pedimos táxi ou comida em restaurantes e contratamos serviços diversos.

Nada é como antes. E nada será como está ou será amanhã ou depois de amanhã, especialmente no campo da saúde. Estamos assistindo, dia após dia, à expansão das mudanças promovidas pela *e-health, digital health, saúde digital, healthtech*, ou seja lá o nome que soa melhor para designar o conjunto de tecnologias e ferramentas digitais que provocam intensas transformações na área da saúde. Se nada será como está, como enfrentar a transição que agora se anuncia em condição permanente? Quais são os pilares de sustentação dessa revolução digital, como ela ganhará ritmo e se consolidará como um bem capaz de promover um salto tecno inclusivo e melhorar a vida de milhões de pessoas, ampliando o acesso aos tratamentos de qualidade?

Os países que mais avançam nessa direção procuram respostas para esses desafios. Uma grande quantidade de oportunidades digitais começa a ser aproveitada com sucesso por essas nações. Para ampliar a compreensão sobre o modo como o mundo se organiza para impulsionar a Quarta Revolução Industrial no campo da saúde, é preciso conhecer aspectos da experiência de digitalização do setor no Canadá, na Alemanha, em Singapura ou nos Estados Unidos. Ou ainda na Estônia, no Reino Unido, em Israel, na Austrália, na Suécia, na Dinamarca ou na Holanda. Nesses lugares, a implementação dos recursos digitais avança e há experiências para serem compartilhadas. Por isso, vale saber como alguns desses sistemas funcionam, como priorizam os gastos, como fazem a articulação do público com o privado, qual é o retorno esperado para os investimentos. Uma parte desses países oferece gratuidade na entrega dos serviços, embora os modelos de gestão e operação e a forma como a saúde é custeada sejam diferentes.

Em todas essas nações, a tecnologia é alvo de políticas estruturantes, com programas de incentivo para promover um ambiente que estimule o desenvolvimento, a implementação dos processos digitais e a adesão de instituições e cidadãos. Há também desafios comuns, como a obrigatoriedade de promover e concretizar a integração entre os setores público e privado para eliminar zonas nebulosas que podem postergar os benefícios esperados e o retorno dos investimentos. Outro aspecto é a incorporação das ferramentas digitais à educação das crianças. No mundo, muitas escolas começam a introduzir conhecimentos sobre a linguagem dos computadores no currículo dos primeiros anos de curso. Faz todo o sentido.

Num futuro próximo, precisaremos informar às nossas ferramentas digitais como queremos que trabalhem para nós. Isso se faz escrevendo um código fonte. Hoje, é trabalho para especialistas em computação e diversão para jovens *nerds*. Mas, acredite, adolescentes escrevem seus próprios códigos sem dificuldade.

É importante lembrar que o sucesso na implementação de novas tecnologias como as ferramentas digitais está intrinsecamente relacionado à entrega dos serviços à população. Especialmente no campo da saúde, no qual os recursos são finitos e a demanda é sempre crescente, a inflação aumenta as tensões e o conflito com metas como a melhora da experiência do paciente nas ações de cuidado (incluindo a qualidade, a segurança e a satisfação), a promoção da saúde da população e a redução do custo per capita dos cuidados em saúde. Esse conceito, denominado *triple aim (tripla meta)*, foi desenvolvido pelo Institute for Healthcare Improvement, nos Estados Unidos, para otimizar o desempenho dos sistemas de saúde. É um modelo integrado que envolve o sistema de saúde, o indivíduo e a sociedade, no qual cada indicador influencia o outro (leia mais sobre o *triple aim* no Capítulo 6).

A experiência do Canadá

No Canadá, o governo paga aproximadamente 70% dos gastos com saúde, destinando cerca de 10% do PIB à assistência médica (*Canada's Health Care System*). Muitos canadenses fazem um seguro suplementar privado para ajudar a pagar medicamentos prescritos que não são custeados pelo sistema, dentistas ou exames de optometria•, para trocar a lente dos óculos, que também não são custeados. Os problemas de acesso estão no topo da lista de preocupações do governo, pois um em cada cinco canadenses relata espera de quatro meses ou mais por cirurgias eletivas. Nesse país, a digitalização da saúde é tratada como uma política de Estado. Desde que iniciou esse processo, há pouco mais de uma década, muitos esforços estão sendo feitos no sentido de aumentar a conectividade entre as ferramentas digitais existentes no sistema.

No Canadá, o governo paga cerca de 70% dos gastos com saúde, destinando cerca de 10% do seu PIB à assistência médica

A pauta dos profissionais de tecnologia da informação (TI) e de saúde atuantes no país é integrar os dados e as partes interessadas envolvidas *(stakeholders involved)* no sistema de modo a facilitar o dia a dia dos pacientes, melhorar o atendimento e a prevenção e tornar a saúde mais barata. Isso significa, por exemplo, criar uma vinculação entre os dados capturados por um aplicativo de gerenciamento de medicamentos a serviço de uma instituição que faz diagnósticos *on-line* com os serviços médicos baseados na internet e as farmácias *on-line*.

É o que se vê no cotidiano de Ontário, a mais populosa das dez províncias em que se divide o Canadá – seus 14 milhões de habitantes representam 40% da população canadense. Ali está a capital do país, Ottawa, e sua maior cidade, Toronto. Também é nessa província que a digitalização da saúde está mais avançada, com a integração de todos os elos da cadeia de saúde, num trabalho coordenado pela *eHealth Ontario*, agência de saúde ligada ao Ministério da Saúde e Cuidados de Longo Prazo. Esse ministério recebe 38,7% da arrecadação de impostos, dinheiro que é direcionado para oito áreas operacionais – seguro saúde, saúde pública, programas provinciais, redes integradas locais, administração, política de saúde e pesquisa e *e-health*. O alto percentual da arrecadação direcionado à saúde e o foco no *e-health* evidenciam as prioridades estabelecidas pelo governo (*eHealth Ontario*).

Vale a pena conhecer os caminhos percorridos pelo país para organizar sua vida digital e aprender com a experiência canadense. Ali, o sistema de atendimento se organiza em programas provinciais e redes integradas locais (*local health integration networks* – LHIN), que fornecem a infraestrutura de atendimento para a população – as áreas maiores e mais densas da província têm mais LHINs. As redes coordenam as atividades de quatro áreas: casas de assistência de longo prazo, para idoso ou pessoas incapacitadas; hospitais, assistência domiciliar e comunitária e agências de apoio comunitário, que fornecem serviços de assistência social para idosos e incapacitados de baixa renda, como transporte, acompanhamento domiciliar, realização de compras de itens básicos de alimentação e higiene.

O Canadá investe em atenção primária de saúde como medida básica de bem-estar da população. Os cuidados primários, a cargo de médicos de família e serviços de enfermagem, têm a função de primeiro atendimento e de acompanhamento da saúde de cada paciente e de facilitar o acesso a todo o sistema de saúde, encaminhando pacientes para os serviços especializados, quando necessário. No entanto, a atenção primária está se tornando cada vez mais abrangente, incluindo prevenção e tratamento de doenças e lesões comuns; serviços básicos de emergência; atenção primária à saúde mental; cuidados paliativos e de fim de vida; promoção de saúde; desenvolvimento infantil saudável; atenção primária à maternidade; e serviços de reabilitação. O atendimento em todas essas frentes está digitalizado.

Em Ontário, a digitalização do sistema de saúde teve início em 2008 com a constituição da *eHealth Ontario,* que desencadeou a transformação de um sistema baseado em papel para um sistema digital, em que todos os profissionais de saúde autorizados podem contribuir, compartilhar e acessar informações valiosas sobre os cuidados de seus pacientes.

Os médicos, até então, registravam as informações sobre seus pacientes em fichas de papel ou em sistemas de informação descentralizados, empregando diferentes tecnologias e plataformas. Milhares de sistemas de informação em toda a província de Ontário continham bilhões de registros que não podiam ser compartilhados ou facilmente acessados quando os médicos precisavam de informações de outros profissionais para cuidar de seus pacientes.

A *eHealth Ontario* integrou esses sistemas, articulando várias redes para conectar organizações e profissionais individuais de saúde em toda a província. Ao mesmo tempo, desenvolveu bancos de dados que armazenam bilhões de registros, todos ancorados em programas de segurança e gerenciamento de identidade. Em 2017, esse trabalho já estava finalizado: laboratórios, centros de diagnóstico por imagens, repositórios de medicamentos encontravam-se conectados, acessíveis aos prestadores de serviços de saúde em toda a província.

> A *eHealth Ontario* integrou: laboratórios, centros de diagnóstico por imagens, repositórios de medicamentos aos prestadores de serviços de saúde.

O fio condutor desse processo de digitalização das informações médicas foi a implantação do registro eletrônico de saúde• *(eletronic health record* – EHR), ou prontuário eletrônico unificado, que centraliza os dados médicos de cada paciente: relatórios de entrada em salas de emergência, resultados laboratoriais, exames de imagens e seus diagnósticos, resumos de alta hospitalar, informações sobre drogas e muito mais. É seguro, confidencial e projetado para que as equipes de saúde possam acessar, contribuir e compartilhar dados importantes de maneira rápida e fácil para que seus pacientes recebam atendimento bem informado e de alta qualidade.

Ao mesmo tempo, novos registros médicos eletrônicos (*electronic medical record* – EMR) são criados e armazenados nos consultórios dos médicos de família –

mais de 90% deles usam essa tecnologia. O EMR pode incluir o histórico familiar do paciente, diagnósticos e tratamentos, informações demográficas e histórico de saúde. Atualmente, 100% dos hospitais estão conectados. A rede de saúde inclui o Repositório de Dados Clínicos, o Serviço Comum de Diagnóstico por Imagem (DI-CS), o Sistema de Informação de Laboratórios de Ontário (OLIS), que armazena mais de 3 bilhões de registros, o *Digital Health Immunization Repository* (DHIR), com mais de 93 milhões registros de imunização, incluindo dados relativos aos surtos de doenças transmissíveis, e o *Digital Health Drug Repository* (DHDR).

As novas tecnologias digitais também vêm melhorando a qualidade do atendimento e a experiência dos pacientes: aumentou a rapidez no atendimento na atenção primária, os diagnósticos são mais precisos e o encaminhamento do paciente a especialistas, quando necessário, é mais rápido. O *eHealth Center of Excellence* da comunidade de Wellington (outra cidade de Ontário), por exemplo, vem desenvolvendo vários programas, ferramentas e serviços para potencializar os recursos digitais de saúde.

> **Os canadenses aprenderam que o primeiro passo é ajudar os médicos a lidar com as novas tecnologias.**

Os canadenses aprenderam que o primeiro passo para uma implantação bem-sucedida é ajudar os médicos a lidar com as novas tecnologias. O *eHealth Center of Excellence* promove sessões de *coaching* com os médicos para que eles conheçam melhor as tecnologias digitais disponíveis e saibam usá-las na clínica. Atenção especial é para o EMR, incluindo novas ferramentas digitais de prevenção e gestão de doenças crônicas e outras que fornecem suporte à decisão clínica e melhoram a qualidade dos dados.

Singapura, o paraíso das *startups* no sudoeste asiático

Singapura tornou-se um porto seguro para *startups* de saúde digital

Singapura é uma das três cidades-estado existentes no planeta, ao lado do Vaticano e de Mônaco. Ex-colônia britânica, localizada ao sul da Península da Malásia, na Ásia, tem 5 milhões de habitantes. Por sua localização estratégica, políticas governamentais de incentivo à inovação e uma forte estrutura de tecnologia da informação, tornou-se um porto seguro para *startups* de saúde digital. Como o governo investe continuamente na melhoria da infraestrutura e nos serviços médicos, fomentando a inovação com forte foco na eficiência operacional, rentabilidade e otimização das operações de saúde, converteu-se também em centro de excelência em serviços médicos, atraindo o turismo médico. Hoje, o país possui alguns dos melhores profissionais do mundo.

O sistema de financiamento da saúde singapuriano é único. Ali, o governo controla e subsidia a assistência em saúde, que é também paga pelos cidadãos de acordo com a sua capacidade financeira. Mais de 80% dos leitos hospitalares estão em hospitais públicos, que oferecem níveis variados de hotelaria e serviços – há quartos individuais de alto padrão, enfermarias com padrões diferenciados ou dormitórios. O atendimento básico em enfermarias administradas pelo governo é barato e chega a ser gratuito para as populações mais carentes. A estrutura do sistema de seguros de saúde é construída em torno de três sistemas de poupança, MediSave, MediShield Life e o Medifund. O primeiro é compulsório e consome de 8% a 10,5% do salário mensal do trabalhador, depositados em uma conta pessoal. Os pacientes só podem usar essas contas para comprar medicamentos pré-aprovados, uma vez que o governo subsidia diretamente as despesas médicas. Há alguns anos, o governo anunciou mudanças no segundo fundo, o MediShield, que se destinava a cobrir os gastos relacionados com catástrofes de âmbito nacional, com franquias mais altas. O novo modelo MediShield Life promete um nível mínimo de cobertura para doenças com impacto financeiro devastador, como o câncer. O terceiro seguro, o Medifund, recebe uma dotação de US$ 3 bilhões para auxiliar indivíduos que não conseguem pagar pela saúde mesmo com o suporte dos dois outros seguros existentes. Uma parcela pequena da população tem seguros privados.

Como em todo o mundo, o envelhecimento populacional e as novas tecnologias elevam os custos. Em Singapura, isso força o aumento dos subsídios e, consequentemente, dos valores proporcionais pagos pelo cidadão. Em 2030, estima-se que um em cada cinco residentes terá mais de 65 anos e dois terços dessa população conviverão com pelo menos uma doença crônica, conforme dados publicados em 2018 (*Digital Ecosystem in Singapore*, *Lata Hariharan*, 2018, *Resource Leaders*).

As opiniões sobre os resultados desse modelo são diversas. Enquanto alguns especialistas afirmam que o país fornece bom atendimento por uma pequena quantia, outros afirmam que o acesso e a qualidade apresentam enormes dispa-

Sydney Brenner, laureado com o Nobel de Fisiologia e Medicina em 2002

ridades entre aqueles que estão no topo da pirâmide socioeconômica e os que estão na sua base. Em contraposição a esse cenário que evoca a imagem do equilibrista de pratos, o governo singapuriano não poupa esforços para promover um ambiente de pesquisa e inovação atraente para empresas e investidores. Esse ecossistema reúne ministérios, hospitais, universidades, institutos de pesquisa e provedores de financiamento, como o National Medical Research Council, criado em 1994 para supervisionar o desenvolvimento da pesquisa médica no país. Outra organização, a Singapore Clinical Research Institute, trabalha com clínicos no estudo de doenças específicas em redes de pesquisas clínicas focadas.

Essa estrutura capturou a atenção de um dos fundadores da biologia moderna, o sul-africano Sydney Brenner, laureado com o Nobel de Fisiologia e Medicina em 2002. Suas pesquisas moldaram o estudo da biologia molecular e do sequenciamento do DNA. Iniciada em 1984, a colaboração de Brenner com o governo para redirecionar a pesquisa colocou o país no mapa científico do mundo. Em agosto de 2015, durante uma breve visita a São Paulo, Brenner comentou que encontrou em Singapura a liberdade de pesquisa que buscava. O biólogo (falecido em 5 de abril de 2019) disse que, nos laboratórios, os alunos pesquisam suas próprias ideias. "Na maioria dos centros de pesquisa de universidades nos Estados Unidos, por exemplo, não funciona assim. Lá, o estudante fica atrelado às pesquisas dos investigadores principais e professores, e não às suas." Um dos centros inaugurados por Brenner em 2000, Biopolis, é uma estrutura gigantesca voltada ao desenvolvimento biomédico do setor público.

Apesar disso, a digitalização dos serviços de saúde propriamente dita, aquela que atingirá a população, segue lenta em comparação ao ecossistema de pesquisa e inovação. Para se ter ideia, somente em 2011 foi criado o Sistema Nacional de Registros Eletrônicos e o país ainda gasta cerca de US$ 15 milhões por ano em sua manutenção. Agora, para tirar o atraso e tentar reduzir seus custos, Singapura está buscando um novo modelo de saúde digital, levando informações para a nuvem. O projeto, chamado hCloud, custará cerca de US$ 37 milhões nos primeiros dez anos de operação. O governo também divulgou, em 2016, um plano de cinco anos para investir US$ 13 bilhões com ênfase em inovação em saúde e ciências biomédicas. O EDBI, um braço de investimento do governo, há dois anos atua em parceria com a Phillips para impulsionar soluções digitais para o mercado asiático. O foco são empresas de saúde digital em fase final de desenvolvimento. Outros aceleradores investem em Singapura no setor saúde, como Thebiofactory, Rockstart, Clearbridge e FocusTech Ventures. Além disso, muitos fundos globais, como o Temasek, Sequoia Capital e Silver Lake, estão ativos na região.

Entre as *startups* de saúde digital que mais financiamento recebem na ilha estão a Attune Technologies, que fornece *softwares* em nuvem; a Biorithm, que atua no desenvolvimento de dispositivos vestíveis (os *wearables*) e sensores• de monitoramento; a Clearbridge Biomedics, que fabrica dispositivos para o diagnóstico de câncer; a EndoMaster, que desenvolve um novo sistema cirúrgico assistido por robôs para permitir cirurgias endoscópicas sem nenhum corte; e a Healint, *startup* por trás do aplicativo Migraine Buddy, líder no rastreamento de enxaqueca no Google Play. Esse aplicativo tem acesso a fabulosos conjuntos de dados que permitem o diagnóstico das causas e dos efeitos reais dos distúrbios neurológicos. A lista inclui empresas que oferecem facilidades como o RingMD, um diretório *on-line* para terapeutas, especialistas em bem-estar e médicos. Outra iniciativa bem financiada é a MyDoc, plataforma digital que integra *players* do setor e dá aos usuários acesso a diferentes serviços de saúde, como consultas médicas, prescrições *on-line* e programas de gerenciamento de doenças a longo prazo. Enfim, um *software* para integrar o sistema de saúde de um país.

> O ecossistema digital de Singapura reúne ministérios, hospitais, universidades, institutos de pesquisa e financiadores.

Ainda assim, esse verdadeiro celeiro de inovação em saúde vive um paradoxo na assistência. Afinal, os atuais esquemas de assistência financeira não cobrem tratamentos mais inovadores para beneficiar os pacientes necessitados. A saída para essa situação tem sido a criação de iniciativas como o The Heart Fund – Keep the Beat, uma campanha de arrecadação de fundos da National University Heart Centre of Singapore. Em 2016, o próprio Brenner, que foi defensor e doador desse fundo, se beneficiou de uma nova tecnologia desenvolvida em Singapura para substituição de uma válvula cardíaca. O governo pretende que seu ecossistema de saúde digital assuma o desafio de tornar os serviços melhores e mais acessíveis. Com esse propósito, o Ministério da Saúde elegeu cinco áreas terapêuticas prioritárias: câncer, doenças cardiovasculares, diabetes e outras condições metabólicas e endócrinas, doenças infecciosas, distúrbios neurológicos e mentais. Também identificou a telessaúde como uma de suas metas, ao lado da saúde móvel e do melhor uso dos dados com recursos de IA. Todas essas ferramentas convergirão, por exemplo, nas salas remotas de monitoramento da saúde que o governo está focado em criar.

STARTUPS DE SAÚDE DIGITAL – SINGAPURA

Attune Technologies	Biorithm	Clearbridge Biomedics	EndoMaster	Healint
Fornece *softwares* em nuvem	Desenvolve dispositivos vestíveis (*wearables*) e sensores de monitoramento	Fabrica dispositivos para o diagnóstico de câncer	Criou sistema cirúrgico assistido por robôs para cirurgias endoscópicas sem nenhum corte	Fornece o aplicativo Migraine Buddy, líder no rastreamento de enxaqueca no Google Play

A cena da saúde digital na Alemanha

Na Alemanha, o sistema de saúde está dividido em público e privado e todos são obrigados a se engajar em um dos tipos. A escolha depende da condição financeira, avaliada pela renda anual. O seguro estatal corresponde a uma taxa de 14,6% do valor bruto do salário, dividida igualmente entre empregador e empregado. Todos que ganham menos de € 60,75 mil por ano (dados de 2019) têm direito ao seguro público. A maioria dos médicos recebe valores definidos por serviço prestado com bases negociadas e há limites para o quanto podem receber anualmente. Segundo o jornal *The New York Times*, o sistema de saúde custa ao país cerca de 11% do PIB.

O país vem desenvolvendo sua rede unificada de saúde digital desde 2000, a Eletronic Health Card *(elektronische Gesundheitskarte ou eGK)*, que conecta pacientes, médicos, farmacêuticos, terapeutas, companhias de seguro, hospitais e outros *stakeholders*. A expectativa é de que sua plena implantação traga melhoria à eficiência na prestação de serviços, aumente o acesso e reduza os gastos médicos. As decisões sobre quem poderá ter acesso aos dados deverão ser tomadas e gerenciadas pelos próprios pacientes.

No setor suplementar, alguns fundos alemães implementaram registros de saúde eletrônicos, com dados armazenados em redes. A maior rede permite que 13,5 milhões de pacientes gerenciem seus dados por meio de um aplicativo de *smartphone*, e estima-se que em breve essas redes serão integradas ao sistema eGK.

Com a chegada do registro unificado de dados do sistema público, 70% dos pacientes alemães terão condições de gerenciar os dados relacionados à sua saúde por meio de aplicativos para *smartphones*. Nessa transição para um sistema novo e potencialmente mais econômico, os alemães discutem novas regras para resolver desafios como a segurança de dados, a divisão dos custos e benefícios entre os *stakeholders*, formas de recompensar os médicos pela adesão à fase *paperless* e pela boa manutenção de dados em um banco unificado nacional.

Os alemães também estudam os caminhos pelos quais a digitalização da saúde pode gerar economia nos custos. O relatório *Digitalizing Healthcare – Opportunities for Germany*, da consultoria internacional McKinsey & Company em parceria com a German Managed Care Association (BMC), concluiu que € 34 bilhões poderiam ter sido economizados em 2018 se o sistema de saúde alemão estivesse totalmente digitalizado. A soma inclui ganhos em eficiência e reduções na demanda por serviços e representa 12% dos custos totais reais estimados para o ano (cerca de € 290 bilhões). Considerando a plena implantação e o uso das ferramentas digitais, em uma espécie de estado da arte em que tudo funciona e é utilizado corretamente, o trabalho mostra que a redução da demanda (e dos custos a ela associados) ocorrerá quando exames duplicados passarem a ser evitados, internações prevenidas e tratamentos subsequentes reduzidos, melhorando a qualidade do atendimento e sua resolutividade.

O relatório trouxe mais percepções inovadoras. Revelou, por exemplo, que a parte mais polpuda da economia potencial foi detectada nos cuidados hospitalares em pacientes internados (€ 16,1 bilhões), cuidados ambulatoriais (€ 6,5 bilhões) e cuidados especializados (€ 8,6 bilhões). Outros campeões de geração de economia potencial foram a interação *on-line* (€ 8,9 bilhões) e as aplicações em fluxo de trabalho/automação e em transparência de resultados (cerca de

Na Alemanha, o seguro estatal corresponde a uma taxa de 14,6% do valor bruto do salário, dividida igualmente entre empregador e empregado

€ 6 bilhões cada). A associação das ferramentas digitais alocadas em áreas como autotratamento e autocuidado do paciente gerou valores em torno de € 4,3 bilhões. Como esses recursos ainda são muito recentes em comparação a outros bem conhecidos, como os registros eletrônicos, os especialistas adotaram uma abordagem conservadora na análise do seu impacto nos custos porque há menos pontos de referência para ajudar a estimar o seu valor. Se não perfazem os maiores montantes de economia, as ferramentas que empoderam o paciente garantem a ele melhores condições para gerenciar seus problemas de saúde e traçar com mais propriedade a sua jornada pelo sistema, o que as reveste de valores essenciais.

> A Alemanha poderia ter economizado € 34 bilhões em 2018 se o sistema de saúde estivesse totalmente digitalizado.

Entre as ferramentas e ações selecionadas, uma das que obteve maior participação na geração de economia foi a mudança para *paperless data•* (€ 9,0 bilhões). É a conversão dos dados dos pacientes, antes encapsulados em consultórios, centros clínicos, laboratórios ou hospitais, para registros eletrônicos unificados de saúde, a que todos os fornecedores da cadeia de saúde têm acesso, desde que autorizados pelos pacientes (leia sobre Segurança de Dados em Saúde no Capítulo 7). Essa medida imprime agilidade e eficácia ao sistema de diversas maneiras. Além de permitir avanços como a inclusão de ferramentas de IA, a reunião e alimentação dos dados em uma única plataforma em linguagem que facilita a interoperabilidade dos provedores, traz o benefício de evitar duplicações em dados, procedimentos, exames e agendamento. Os processos tornam-se mais fluidos, diminui o desperdício de recursos e de tempo dos profissionais e dos pacientes.

No final de 2018, pesquisa da fundação alemã Bertelsmann Stiftung apontou um sério problema a ser superado: a transformação digital não estaria chegando aos pacientes. No trabalho comparativo, a Alemanha ocupa o 16º lugar entre 17 países pesquisados em relação à digitalização dos seus serviços de saúde. Estônia, Canadá, Dinamarca, Israel e Espanha ocupam os primeiros lugares nessa comparação. O estudo constatou que a falta de uma agência de coordenação nacional para incentivar e guiar a transformação foi uma das principais barreiras à adoção da saúde digital na Alemanha.

FERRAMENTAS DIGITAIS POR ÁREA – ALEMANHA

ÁREA 1 - DADOS ELETRÔNICOS (*PAPERLESS DATA*)

Registro/intercâmbio eletrônico de saúde unificado	Infraestrutura para visualizar, registrar e armazenar todas as informações do paciente, acessíveis a todos os provedores e em todos os locais de atendimento.
Prescrição eletrônica	Versão digital da prescrição de medicamentos transmitida às farmácias ou aos hospitais em tempo real. Permite verificações automáticas de interações medicamentosas e efeitos colaterais específicos para cada paciente.
Comunicação da equipe intra-hospitalar	Comunicação *paperless* entre as equipes hospitalares e sua coordenação.

ÁREA 2 - INTERAÇÃO *ON-LINE*

Teleconsulta	Ferramentas para interação remota entre médico e equipe de enfermagem com paciente para consultas, acompanhamento e orientações.
E-triagem	Serviço *on-line* ou telefônico para esclarecer antecipadamente se a visita ao pronto-socorro, a consulta de atenção primária ou a consulta de acompanhamento são necessárias.
Monitoramento de paciente• com doenças crônicas	Acompanhamento remoto e/ou domiciliar de parâmetros vitais de pacientes de alto risco com doenças crônicas.
Referências eletrônicas	Informações de encaminhamento e de alta (como dados clínicos e de exames) encaminhadas ao próximo médico na jornada do paciente.

ÁREA 3 - FLUXO DE TRABALHO / AUTOMAÇÃO

Conectividade móvel da enfermagem	Acesso às informações do paciente para a equipe de atendimento hospitalar e domiciliar, em que novos dados são inseridos por meio de *tablets*.
Rastreamento de ativos por radiofrequência	Identificação e localização de ativos, como ferramentas de diagnóstico, leitos, medicamentos caros.
Rastreamento de parâmetros vitais (elCU)	Monitoramento remoto de sinais vitais de pacientes de unidades de terapia intensiva.
Robótica logística hospitalar	Robôs que realizam tarefas repetitivas, como reabastecimento de estoque e transporte de mercadorias e pacientes.
Automação de processos com robôs	Uso de robótica para completar tarefas simples, por exemplo, monitoramento de sinais vitais, manipulação de amostras.

ÁREA 4 - TRANSPARÊNCIA NOS RESULTADOS E APOIO À DECISÃO

Painéis de desempenho	Telas para mostrar dados de desempenho clínico e da equipe e identificar oportunidades de melhoria.
Gerenciamento do fluxo do paciente	*Software* para sugerir roteamento ideal de pacientes por meio de estações de diagnóstico.
Apoio à decisão clínica	Uso de dados individuais e melhores evidências clínicas para fazer recomendações de tratamento baseados em protocolos e em IA.
Análise avançada do pagador	Gerenciamento de atendimento entre provedores e detecção de reclamações fraudulentas.
Testes genéticos •	Testes para obter informações genômicas, proteômicas e outros dados do paciente para orientar decisões de tratamento específicas.

ÁREA 5 - AUTOATENDIMENTO DO PACIENTE

E-booking (sistema de marcação eletrônica)	Portais *on-line* que permitem aos pacientes agendarem seus compromissos com médicos de clínica geral e especialistas, além de uma função de lembrete.

ÁREA 6 - AUTOCUIDADO DO PACIENTE

Ferramentas de gerenciamento de doenças crônicas	Saúde mental	Diário eletrônico de humor; cursos *on-line* para terapia comportamental e lembretes eletrônicos para cumprimento do tratamento; envolvimento *on-line* de cuidadores.
	Diabetes	Lembretes eletrônicos para adesão do paciente ao tratamento; dispositivos de teste de insulina conectados.
	Doenças respiratórias	Programa *on-line* de reabilitação pulmonar; inaladores conectados.
	Doenças cardiovasculares	Programas *on-line* de educação do paciente; sensores de frequência cardíaca conectados e medidores de pulso com função de alerta.
Chatbots médicos	Aplicativos de bate-papo ou linha telefônica com IA, baseados em protocolos médicos e mecanismos aprovado para resolver solicitações "fáceis" ou realizar triagem inicial.	
Ferramentas de prevenção de doenças	Aplicativos, treinadores virtuais e rastreadores de condicionamento físico para promover mudanças nos estilos de vida (como as pulseiras *fitbit*).	
Redes de apoio ao paciente	Redes sociais *on-line* para os pacientes trocarem informações e experiências sobre a doença e as diferentes opções de tratamento.	
Ferramentas de diagnóstico digital	Tecnologias que permitem diagnóstico remoto.	
Realidade virtual para o manejo da dor	Utilização dos efeitos da realidade virtual que aliviam a dor e são comparáveis aos medicamentos (como o programa para vítimas de queimaduras).	

Fonte: *Digitalizing Healthcare – Opportunities for Germany* McKinsey & Company e German Managed Care Association (BMC).

O *cluster* Berlim-Brandenburgo - Independentemente da maior ou menor disponibilização dos recursos da saúde digital entre a população alemã, o desenvolvimento de novas ferramentas e recursos tem avançado em ritmo acelerado. Isso pode ser facilmente percebido em uma região da capital alemã conhecida como *cluster* Berlim-Brandenburgo.

Nessa área estão concentradas mais de 600 empresas de biotecnologia, farmacêuticas e de tecnologia médica, 130 hospitais, além de um importante centro da indústria de TI, especialmente direcionados à saúde. A região reúne mais de cem *startups* de saúde digital, com números crescentes a cada ano, que desenvolvem aplicativos móveis e *wearables* para monitorar pacientes que sofrem de doenças crônicas. Tecnologias de ponta, como *machine learning*, IA e *big data* aceleram as novas aplicações. O ecossistema regional de *startups* é altamente auto-organizado e oferece aos jovens pioneiros uma ampla gama de eventos, como encontros, *barcamps* e *hackathons•*.

Nesse ambiente fértil, um número cada vez maior de *players* globais busca se conectar a *startups* para inventar produtos e métodos digitais. Entre os tópicos mais importantes e ativamente abordados pelas partes interessadas no *cluster* de Berlim-Brandenburgo estão as aplicações de *big data* e telemedicina, que atraem as atenções e recursos de aceleradoras, incubadoras e investidores dos setores público e privado.

O estado da arte nos Estados Unidos

O sistema de saúde dos Estados Unidos é complexo e motivo de constante debate. Todo o atendimento, das consultas aos procedimentos e internações, é particular e pago. Os hospitais são privados, com exceção daqueles administrados pelo Veterans Health Administration, e cobram caro pelos seus serviços. Portanto, quem precisa de cuidados médicos deve preparar-se para o desembolso ou contratar um seguro de saúde privado. Pessoas com idade acima de 65 anos que pagaram impostos durante os anos produtivos têm a cobertura do seguro social Medicare, sistema financiado pela previdência norte-americana. O seguro cobre atendimentos mais simples e de emergência e pode abranger indivíduos com deficiências e algumas doenças terminais. Existem também planos especiais do Medicare oferecidos pelas empresas privadas e companhias de seguros licenciadas aos seus funcionários. Essas modalidades podem cobrir medicamentos, mas nesses casos o governo não paga pelos serviços.

O outro seguro social existente, o Medicaid, é custeado pelo governo federal em parceria com os estados e direcionado a reembolsar os hospitais e os médicos pelo atendimento a pessoas que não têm condições de pagar pelas despesas. As regras de atendimento e cobertura variam muito em cada estado. Estima-se que 28 milhões de pessoas não tenham nenhum tipo de cobertura.

De acordo com os centros de serviço Medicare e Medicaid, os gastos com assistência médica nos Estados Unidos aumentaram 4,3% em 2016, chegando a US$ 3,3 trilhões, o equivalente a US$ 10.348 mil por ano por pessoa. A saúde norte-americana representa quase 18% do PIB. Independentemente dos graves problemas de acesso aos cuidados de saúde, o mercado norte-americano de tecnologias digitais de saúde vai muito bem e recebe investimento crescentes. Um relatório publicado em janeiro de 2019 pela consultoria McKinsey aponta que diversas companhias do próprio setor começam a demandar mais inovação e estão investindo mais recursos na sua transição para as soluções digitais do que em anos anteriores. Dados da consultoria indicam que o financiamento em saúde digital vem aumentando, em média, 32% em relação ano anterior, desde 2011, e chegou perto dos US$ 6 bilhões em 2017.

Um dos fatores que estimulam esse investimento está ligado às promessas disruptivas das maiores empresas de tecnologia para o setor. Alguns líderes desse segmento apostam no desenvolvimento de interfaces mais simples e análises avançadas para facilitar e orientar a jornada dos pacientes (com novas ferramentas de busca de fornecedores, por exemplo), melhora da comunicação personalizada e do gerenciamento de cuidados.

Há também um ambiente favorável entre os médicos, que começam a mostrar mais disposição em adotar as novas soluções. Essa tendência foi detectada em um estudo realizado em 2016 pela Associação Médica Norte-Americana. Os dados mostraram que a maioria dos profissionais atuantes no país acredita que a saúde digital possui um forte potencial para melhorar o atendimento. Otimistas, acreditam ainda que essas novas ferramentas percorrerão um longo caminho até efetivamente melhorarem a eficiência, a segurança do paciente e a capacidade de diagnóstico.

A visão mais positiva dos efeitos transformadores das ferramentas de saúde digital também se fortaleceu com a onda de indignação provocada por uma série

Nos EUA, todo o atendimento é particular e pago. Os hospitais são privados, com exceção daqueles administrados pelo Veterans Health Administration

de reportagens feitas pela mídia norte-americana que exibiu variações exorbitantes na cobrança de procedimentos e outros serviços muito semelhantes em diferentes hospitais. A investigação descobriu que situações médicas caracterizadas por início e fim relativamente previsíveis (como a maioria das gestações, infecções respiratórias superiores e hospitalizações para colocação de próteses de quadril) registravam oscilações de preço entre 30% e 100%. Pior: essas flutuações no custo não estavam relacionadas a nenhuma diferença na qualidade do serviço prestado ou no resultado do atendimento.

No entanto, apesar disso, a digitalização do setor segue vagarosa. Os dados da McKinsey indicam que, dentre todas as indústrias impactadas pela Quarta Revolução Industrial, a saúde é a que se expande mais lentamente. Nesse movimento, o setor é superado pelas indústrias da comunicação, serviços profissionais, financeiros e seguros, comércio, governo, transportes e serviços de armazenamento. Em termos de digitalização geral, só está à frente da indústria de entretenimento e recreação.

A expectativa é o setor de saúde dos Estados Unidos equalizar seu ritmo ao restante da economia. Na condição de um dos maiores ecossistemas do mundo em inovação, com centenas de *startups* localizadas em sua maioria no Vale do Silício, a nação está entre os líderes do desenvolvimento de novos recursos. Empresas como a Apple e a coreana Samsung já trabalham para isso. Ambas estão colaborando com companhias farmacêuticas, pagadores e fornecedores de serviços para gerar soluções que aumentem a sua presença no setor com o pressuposto de melhorar os resultados dos pacientes e capacitá-los para lidar com problemas agudos de saúde.

Esse é um tema que mobiliza as seguradoras e que está em ascensão no cenário digital norte-americano. Ferramentas que incentivam o engajamento do paciente, e os dispositivos portáteis estão na mira dos investidores e deverão impulsionar o crescimento de soluções focadas em *big data* e *analytics*. Outras áreas consideradas emergentes e que podem impactar o espaço digital dos Estados Unidos envolvem o uso de *blockchain•* pelos hospitais, dispositivos de monitoramento, uso de medicamentos por via transdérmica e *design* inteligente de remédios. Pesquisas e iniciativas práticas evoluem particularmente nas instituições acadêmicas, muitas vezes em parceria com as grandes empresas de tecnologia.

A Clinica Mayo, por exemplo, onde milhares de pesquisas clínicas são conduzidas simultaneamente, fechou parcerias com a Optum, empresa global de serviços de saúde e inovação, para iniciar um repositório de dados de saúde, um *big data* com a participação de várias instituições americanas; e com a IBM, para acelerar a busca dos pacientes com perfil adequado para serem inseridos em cada estudo. Muito rigorosa, a seleção para participar desses estudos é pleiteada por muitos pacientes com enfermidades em fase avançada que desejam acesso a tratamentos ainda não disponíveis comercialmente. Conduzida por especialistas, a escolha considera os registros médicos e o conhecimento que o profissional responsável pelo estudo tem sobre o caso e sua evolução. Mas, além disso, os pacientes precisam atender alguns requisitos, certas características em comum exigidas pelo estudo para que o resultado possa ter relevância científica. Por essas razões, a busca dos voluntários é uma etapa difícil e, por vezes, demorada. Com a aplicação dos recursos de IA, a Mayo conseguiu não só reduzir o tempo para achar os pacientes adequados

> Estima-se que 28 milhões de norte-americanos não tenham qualquer tipo de cobertura de saúde.

como também ampliar a inclusão. Hoje, calcula-se que 5% dos pacientes com câncer em tratamento na clínica participem de estudos clínicos. No mundo, a taxa média é de 3%.

Na clínica norte-americana, a IA tornou-se parte do cotidiano e mostra sua potencialidade em diversas áreas. No atendimento a pacientes com acidente vascular cerebral hemorrágico, o sistema é usado para encontrar as melhores ações de tratamento. Estudos indicam que milhões de neurônios morrem a cada minuto durante um AVC. Espera-se que os recursos de IA ofereçam respostas mais rapidamente, fazendo com que o paciente seja tratado 30 minutos antes da hora em que receberia o tratamento sem a ajuda da tecnologia. Vale lembrar que a Mayo participa do esforço para treinar o supercomputador Watson, da IBM, no campo da saúde. No entanto, o supercomputador tem sido criticado pelo desempenho ainda abaixo do esperado e por problemas na aplicação da IA, especialmente em oncologia.

Em outra renomada instituição, a Cleveland Clinic, um dos destaques é a utilização da IA para identificar quais pacientes com queixas de dor nas costas precisam realmente de uma cirurgia. Essa é uma questão muito delicada no mundo todo. É comum um paciente visitar vários especialistas que expressam opiniões diferentes sobre o caso. Levantamentos indicam que cerca de 60% das cirurgias realizadas não seriam necessárias, o que revela o exagero na indicação de operações. Ao analisar exames de imagem, registros médicos e custos de procedimento, o sistema que utiliza IA entrega em segundos uma análise que levaria dias se fosse solicitada a mais de um especialista. Além de apontar os casos em que a cirurgia é imprescindível, sugere procedimentos disponíveis na própria instituição que podem ser executados a um custo-benefício relevante.

A pujança tecnológica em Israel

Em Israel, a prestação de cuidados básicos de saúde a todo cidadão residente é um direito fundamental garantido pela Lei Nacional de Seguros de Saúde, de 1995. Ela determina também a necessidade de todo israelense se vincular a uma das quatro organizações de assistência médica atuantes. Financiadas pelo Kupat Holim (em tradução livre, Fundo para Saúde), essas organizações não têm fins lucrativos, não podem negar afiliação e devem fornecer uma cesta uniforme de serviços de saúde a seus associados. Os cuidados pré e pós-natal e geriátricos são oferecidos e gerenciados diretamente pelo Ministério da Saúde.

As fontes de financiamento desse sistema são as contribuições pagas pelas pessoas seguradas, o orçamento estatal e a receita direta das seguradoras. A taxa mensal obrigatória paga pelos trabalhadores e autônomos é progressiva e deduzida diretamente do salário pelos empregadores. O repasse para as seguradoras é calculado com base na quantidade de associados, idade e local de residência. De modo geral, o trabalhador paga 3,1% dos ganhos até 60% do salário médio e 5% dos ganhos acima de 60% do salário médio. Para quem não trabalha custa aproximadamente US$ 24 mensais; para um idoso solteiro, cerca de US$ 45 e para um casal de idosos, em torno de US$ 65. Os israelenses podem incluir serviços adicionais à sua cesta de cuidados pagando um prêmio extra às empresas. Os valores são especificados por faixas etárias. A estimativa da Organização para a Cooperação e Desenvolvimento Econômico (OCDE) é de que o equivalente a 7,3% do PIB israelense tenha sido destinado à saúde em 2017, um valor abaixo da média de 9% do PIB registrado pela organização em 2017. Portugal, por exemplo, despendeu 9%.

Os dados mais recentes informam ainda que a expectativa de vida no país alcançou 82,5 anos em 2016 (OCDE). Analistas acreditam que essa elevação se deve aos avanços e às pesquisas na área da saúde, da ciência e tecnologia, além da busca de uma política de bem-estar social da população. Israel também procura soluções para a carência de médicos, especialmente em áreas de periferia e mais distantes. As longas filas de espera pelos serviços prestados pelas organizações assistenciais, os quais são considerados razoáveis, levaram mais de 75% da população a optar por seguros privados, que são oferecidos pelas grandes companhias de seguros israelenses.

Em Israel, a prestação de cuidados básicos de saúde a todo cidadão residente é um direito fundamental garantido pela Lei Nacional de Seguros de Saúde

O país, entretanto, vivencia um cenário bastante complexo de desigualdade no acesso aos serviços de saúde e nos resultados do sistema. Os israelenses pobres que não são judeus e aqueles que vivem nas regiões norte e sul da periferia experimentam piores condições de saúde e têm altos fatores de risco.

Nas regiões mais pobres, há carência de serviços e equipamentos, pessoal e leitos. Em análise publicada em outubro de 2017, a OCDE recomendava ações para reduzir as desigualdades regionais, aconselhava uma associação das quatro organizações do Kupat Holim ao governo para desenvolver programas para promoção da saúde, melhorar a capacidade de atendimento médico e oferecer serviços preventivos para os grupos em risco de saúde precária. Além disso, recomendou a implementação sistemática de programas de saúde pública voltados para os fatores de risco entre os grupos desfavorecidos.

Se na assistência o país enfrenta problemas de financiamento do setor, quando se fala em indústria de saúde digital, o panorama é de avanços invejáveis. Israel caminha para se consolidar como uma potência digital. Possui um ecossistema vibrante, composto por cerca de 500 empresas, uma sólida rede de pesquisa médica e acadêmica e uma das mais extensas redes de incubadoras e aceleradoras de *startups*. Esse ambiente extremamente favorável às inovações tornou o país atraente para empresas e investidores mundiais, globalizando suas *startups*.

Em 2017, as empresas israelenses de saúde digital levantaram um total de US$ 333 milhões em capital de risco e *private equity* (atividade financeira realizada por instituições que investem em empresas que ainda não se abriram ao mercado de capitais), superando em 30% os investimentos de 2016. O montante recorde foi investido em 42 negócios. Aliás, em 2018, Israel celebrou o seu primeiro unicórnio (*startup* com avaliação de preço de mercado acima de US$ 1 bilhão) – a Orcam Technologies, que desenvolveu um dispositivo de IA para deficientes visuais, arrecadando mais de US$ 80 milhões.

De acordo com o relatório *Israel's Digital Industry 2017-2018*, do Start-up Nation Central, organização sem fins lucrativos criada para expandir a inovação, além de investir, o governo formulou um plano nacional de US$ 300 milhões para transformar a saúde digital no próximo motor de crescimento econômico do país. Como parte dessa iniciativa, comprometeu-se a criar uma infraestrutura padrão de informações médicas e um banco de dados de pesquisa nacional em genética e dados médicos. Ao mesmo tempo, os provedores de serviços de saúde começaram a estabelecer centros de inovação e compartilhar dados médicos coletados em quase três décadas. Em 2016, por exemplo, o segundo maior plano de saúde israelense, o Maccabi, criou um instituto de inovação dedicado a melhorar os resultados de saúde por meio de análise de *big data*, algoritmos preditivos e *machine learning*. O instituto desenvolveu uma plataforma de *big data* que dá acesso a pesquisadores e empresas inovadoras de todo o mundo. A Clalit, a maior organização de assistência de Israel, também estabeleceu um instituto de pesquisa há vários anos.

Atualmente, Israel vive a terceira fase da implantação da saúde digital. Sua consolidação requer capacidades analíticas de dados, práticas de compartilhamento de dados e de interoperabilidade e, acima de tudo, uma abordagem eficaz à privacidade dos dados. De acordo com o relatório da Start-up Nation Central, uma em cada três empresas de saúde digital têm um componente de IA. O relatório aponta ainda que o país possui um dos bancos de dados médicos mais avançados e extensivos do mundo (dados digitalizados de cerca de 7 milhões de pessoas) para ser usado no treinamento dos algoritmos de IA.

> Em 2017, as empresas israelenses de saúde digital levantaram um total de US$ 333 milhões em capital de risco e *private equity*.

Para viabilizarem esse processo, os provedores de saúde locais estão em estreita colaboração com as empresas. Elas oferecem ferramentas digitais analíticas que melhoram os resultados clínicos, enquanto desfrutam de dados, conhecimento clínico e orientação. Um novo modelo de assistência médica emerge dessa colaboração. Está sendo forjado no centro de uma rede de informações em que os dados coletados são analisados por meio de algoritmos avançados para gerar *insights* clínicos. Segundo os dados da Start-up Nation Central, a IA começou a dominar vários subsetores da saúde digital em Israel, com quase 130 empresas incorporando esse recurso em suas soluções. A tecnologia atrai um financiamento significativo, com US$ 165 milhões em 2017 (50% do total de investimentos) e US$ 207 milhões em 2018 (77% do total de investimentos), representando quase 50% do número de rodadas de financiamento. Delineia-se, portanto, uma era da inovação baseada em IA. Por tudo isso, o ecossistema israelense de saúde digital tem atraído grande atenção de investidores norte-americanos e europeus e se mostrado profícuo em lançamentos.

O suporte do governo na forma de investimentos, os esforços para atrair recursos estrangeiros e os incentivos à interação intersetorial estão na base das descobertas feitas por centros como o Instituto Weizmann, da formação de cientistas laureados com o Nobel e da geração de patentes com *royalties* altíssimos. Um dos frutos mais recentes desse

> Israel possui um dos bancos de dados médicos mais avançados e extensivos do mundo.

modelo, que impulsiona a expansão da saúde digital, é um dispositivo para detectar a doença de Parkinson em seus estágios muito iniciais por meio da análise da respiração do paciente. Enfim, uma espécie de bafômetro equipado com 40 sensores químicos miniaturizados e treinados por algoritmos de *machine learning* para detectar marcadores específicos na respiração que podem identificar os sinais primários da doença. Com precisão de cerca de 80%, foi desenvolvido por uma equipe multidisciplinar do Instituto Tecnologia Technion (de Israel), que inclui engenheiros eletricistas, engenheiros químicos e pesquisadores médicos. O grupo também identificou as características da respiração de 17 doenças, entre elas esclerose múltipla, mal de Alzheimer, câncer de pulmão e câncer gástrico.

Os israelenses também assistem à chegada de uma nova geração de equipamentos para facilitar à adesão à saúde digital, cada dia mais presente em suas vidas. No país, assim como no Canadá e nos Estados Unidos, as teleconsultas e os pacotes de exames digitais são adquiridos diretamente pelo usuário por meio de aplicativos que permitem conversar com o médico por vídeo, em tempo real. Se tiver acesso a dispositivos médicos específicos, poderá medir a pressão arterial, examinar ouvidos e garganta a distância, fazer eletrocardiograma, medir a pulsação. Afinado com essa tendência, o mercado oferece dispositivos que facilitam a captura de dados a distância, como um pequeno aparelho para acoplar um estetoscópio (para auscultar o coração ou o pulmão) ou otoscópio (para examinar o ouvido). O aparelho, que tem o tamanho de um celular e custa US$ 400, envia dados ao médico e possui também uma tela de cristal líquido na qual se pode ver o especialista. Dependendo dos dados obtidos, do treinamento do médico e da patologia, o indivíduo poderá receber um diagnóstico, um pedido para mais exames ou a prescrição de um medicamento. Nesse caso, a receita pode ser enviada diretamente para a farmácia ou o remédio pode ser entregue na casa do paciente. Serviços como esse são uma tendência mundial.

Capítulo 3

SOLUÇÕES INOVADORAS PARA GRANDES DESAFIOS

SOLUÇÕES INOVADORAS PARA GRANDES DESAFIOS

Resguardadas as devidas particularidades, os sistemas de saúde em todo o mundo estão sendo pressionados por desafios semelhantes: o envelhecimento da população, o aumento da demanda e da incidência de doenças crônicas, as epidemias de obesidade e diabetes, os custos da incorporação tecnológica (incluindo medicamentos), a inflação médica e a inadequação das formas de remuneração e de pagamento, entre outros. Gestores, pacientes e demais participantes do sistema não têm como se esquivar do enfrentamento dessas questões. Elas ameaçam a sustentabilidade da saúde na forma como tem sido praticada e evidenciam a necessidade de transformações profundas nos modelos de assistência. A expectativa é que a digitalização e a aplicação de seus novíssimos recursos produzam mudanças potentes o suficiente para redefinir, ainda que parcialmente, esse cenário.

Experiências em *e-health* em andamento em diversos países apontam nessa direção. Para compor um quadro do que está sendo pensado no mundo em resposta aos maiores desafios da atualidade, selecionamos exemplos de experiências bem-sucedidas em documentos, estudos e relatórios produzidos por especialistas e comissões diretamente envolvidos na transição digital de cada país. Boa parte dessas soluções foi avaliada localmente e começa a se expandir pelo sistema, como ocorre no Canadá, na Austrália, nações na vanguarda da saúde digital que se preocupam em produzir ciência de qualidade sobre o processo de conversão e as ferramentas nas quais decidiram investir.

Vale lembrar que estamos no limiar de uma transformação profunda na forma como as demandas da saúde serão atendidas e que esse conhecimento, absolutamente inédito, está sendo gestado a partir de um alinhamento nunca visto, capaz de reunir governos, indústrias, universidades, profissionais da saúde, das ciências da computação e da bioengenharia. A possível replicação dessas experiências corre em paralelo ao desafio de garantir a interoperabilidade e o acesso amplo e seguro entre as diferentes bases de dados. Oferece oportunidades para melhorar a privacidade, liberar mais tempo para interações pessoais entre médico e paciente, reduzir custos e facilitar a navegação dos pacientes nos serviços de saúde.

Foco nas doenças crônicas

A integração de registros eletrônicos de mais de 24 mil pacientes da região de Wellington, em Ontário, no Canadá, e a padronização das informações sobre 18 condições crônicas, feita pelo Centre for Family Medicine, evidenciaram que três enfermidades – a doença pulmonar obstrutiva crônica (DPOC), a insuficiência cardíaca e o diabetes – representavam a principal causa de internações hospitalares. Para intervirem nesse cenário, pesquisadores da agência e-Health Centre of Excellence e médicos de sociedades de especialidades desenvolveram uma ferramenta que reuniu os melhores protocolos de tratamento para cada uma dessas doenças e que foi integrada ao registro médico eletrônico unificado dos provedores de cuidados primários. Além de padronizar a entrada de registros sobre as doenças crônicas, a medida aumentou a eficiência da equipe de cuidados e economizou tempo e recursos – os pacientes passam por menos testes desnecessários e melhoram seu acesso aos cuidados, o que contribui para o gerenciamento das doenças e a prevenção de crises.

🩸 O cerco ao diabetes e suas complicações

Estima-se que 387 milhões de pessoas convivam com o diabetes no planeta e que metade dessa população não tenha sido diagnosticada. A doença é caracterizada pela elevação da glicose no sangue (hiperglicemia). A absorção da glicose pelas células (onde atua como combustível para diversas funções) é regulada por um hormônio produzido pelo pâncreas, a insulina. A hiperglicemia é provocada pela dificuldade de o pâncreas produzir insulina na quantidade necessária ou por outros fatores que dificultem ou impeçam esse hormônio de cumprir sua função. Diversas condições podem levar ao diabetes, porém a grande maioria dos casos se divide entre os tipos 1 (resultado de um processo autoimune que impede o pâncreas de produzir a insulina e é mais comum em crianças e adultos jovens) e 2, associado ao aumento de peso e baixa atividade física, correspondendo a cerca de 90% dos casos registrados no mundo.

No Reino Unido, onde há 3,5 milhões de diabéticos tipo 2 e cerca de 200 mil novos casos diagnosticados a cada ano, uma em cada seis pessoas hospitalizadas tem a doença. Reconhecendo que a prevenção envolve o estilo de vida, como manter um peso saudável e uma vida mais ativa, o Programa de Prevenção do Diabetes do National Health Service (NHS) do Reino Unido usa algoritmos para identificar pessoas em alto risco e as encaminha para um programa de mudança de comportamento. Um dos recursos para ajudar nessa mudança é o Diabetes Digital Coach (Treinador Digital de Diabetes), que associa cinco ferramentas digitais em uma plataforma integrada acessível ao paciente por computador, *smartphone* ou *tablet*. Os dados recolhidos por essas ferramentas são reunidos em um único painel que emite orientações claras aos usuários no campo da saúde e bem-estar, educação, apoio alimentar, manejo da insulina e informações para otimizar a atividade física. Essa plataforma e o painel de dados estão sendo testados em estudos clínicos.

> O Programa de Prevenção do Diabetes do National Health Service (NHS) do Reino Unido usa algoritmos para identificar pessoas em alto risco.

Cerca de 80% das complicações do diabetes tipo 2 são passíveis de prevenção, mas isso depende da adesão do paciente ao tratamento. Em geral, o doente é o responsável pelo cumprimento da prescrição (frequência, dosagem, duração do uso do medicamento) e pelas mudanças a serem feitas em seu estilo de vida (como a prática de exercícios, dieta e qualidade do sono, entre outros). Pois a tecnologia pode ajudar na adesão de muitas maneiras diferentes, sendo uma delas a criação de alertas. Exemplo disso são as tampas de canetas de insulina com dispositivos sem fio que indicam o momento da próxima aplicação; ou frascos com *chip* que registram os momentos de medicação e informam serviços de saúde do cumprimento dos horários. O monitoramento dos níveis de glicose é mais um campo aberto à inovação. Embora a maioria dos diabéticos ainda faça esse controle por meio da análise de uma gotinha de sangue, existem sensores bioquímicos que podem ser implantados sob a pele para verificar o nível de glicose várias vezes por dia. Da mesma forma, a aplicação da insulina ainda é feita manualmente pela maioria dos que precisam receber o hormônio com frequência, mas há tecnologias que permitem receber a insulina constantemente por meio de pequenas bombas sem fio com configuração personalizada.

Inteligência artificial para prevenir crises e internações

No noroeste de Londres, o programa Whole System Integrated Care (WSIC) aplica a tecnologia *analytics* sobre informações integradas das áreas de saúde e assistência social (atenção primária, secundária, saúde mental, assistência social e comunitária). O processamento dessa montanha de dados por *softwares* de altíssimo desempenho transforma informações soltas em conhecimento para dar suporte a quem precisa tomar decisões. Os algoritmos de IA apontam as pessoas nos arredores em situação de maior fragilidade ou com maiores chances de precisar de uma internação – como alguém com asma que recentemente passou por várias crises e visitas aos serviços de saúde. Diante dessas referências, as equipes podem ajustar o foco para entender se a pessoa enfrenta dificuldades com o uso da medicação, como horários ou dosagens, ou se demanda algum suporte adicional para gerir a doença. Isso pode ser o alerta para solicitar o apoio de uma equipe multidisciplinar de saúde e assistência social para redefinir, por exemplo, os medicamentos usados.

De olho no ganho de eficiência que um serviço de saúde totalmente digitalizado pode oferecer, os britânicos estão empenhados em consolidar bases locais de dados com padrões que garantam a sua integração em sistemas maiores. É o que está acontecendo na região da Grande Manchester, onde dez distritos trabalham juntos para conectar seus registros de saúde e cuidados, para que médicos, enfermeiros e outros profissionais possam acessá-los o mais rápido possível. O nome dado ao sistema que unifica esses registros é *Local Health and Care Registers* (LHCR). A plataforma atualiza os profissionais se o paciente em consulta tem risco de diabetes, demência ou outra doença e quais cuidados essa pessoa necessita. Também ajuda a agir proativamente a partir dos algoritmos que atualizam os dados do atendimento enquanto ele acontece. Por fim, o formato adotado pelo LHCR permite que os pacientes contribuam com observações e participem do planejamento dos seus cuidados. Os parceiros do projeto – indústria, ONGs, governo, associações médicas, profissionais da saúde e pacientes – esperam que esse potente conjunto unificado de dados e algoritmos promova a melhoria do cuidado, dos resultados e o uso apropriado dos recursos da saúde.

Uma plataforma para vigiar a sepse

A cada ano, o mundo enfrenta de 15 a 17 milhões de novos casos de sepse (a antiga septicemia). Por razões que os pesquisadores ainda não entendem, a sepse se manifesta quando o sistema de defesa do organismo cessa o combate aos germes (bactérias, vírus, fungos ou parasitas) e deflagra uma resposta potente e generalizada. É uma reação sindrômica que pode levar à parada de um ou mais órgãos e à morte se não for diagnosticada e tratada com rapidez e de modo adequado. A doença é responsável por mais óbitos do que alguns tipos de câncer e registra um aumento de incidência amparado em fatores como a resistência a antibióticos.

Um dos grandes entraves ao controle da sepse em países com profundas diferenças sociais, como o Brasil, é a falta de treinamento das equipes de saúde para identificar o paciente com essa infecção. O reconhecimento precoce é fundamental para melhorar o prognóstico. Além de sinais associados, como febre, fraqueza e suor frio, a sepse pode provocar falta de ar, coração acelerado, redução da urina, sonolência excessiva e confusão mental. O choque séptico é o nível mais grave e é diagnosticado quando a pressão arterial cai a níveis perigosos. Quase todos os pacientes com sepse grave necessitam de tratamento em uma unidade de terapia intensiva (UTI).

Hospitais em diversos países apostam em sistemas digitais para prevenir a sepse. Uma dessas experiências acontece nos hospitais da Notthingham University, em Londres, Inglaterra. Ali, um sistema inteligente, chamado plataforma Nervecentre, une os dados do paciente à lista de indicadores da infecção, às orientações do Nice (The National Institute for Clinical Excellence) e às regras clínicas locais para identificar a doença assim que ela dá seus primeiros sinais. O Nice foi criado em 1999 para oferecer aos profissionais de saúde orientações que lhes permitam proporcionar os melhores cuidados e as tecnologias mais avançadas, sem desperdícios.

Quando um paciente apresenta um perfil de alterações compatíveis com o surgimento da sepse, a plataforma emite um alerta para médicos e enfermeiros colocarem em prática os protocolos de tratamento. Além do pessoal clínico, que fica em contato direto com o paciente, a Nervecentre acessa especialistas em sepse para interpretar o fluxo dos dados. A combinação do algoritmo, do escalonamento automatizado e da priorização de tarefas ajuda a eliminar os fatores humanos que podem retardar a identificação e o início da terapia. Com isso, melhoram o prognóstico e as chances de o paciente sobreviver à essa infecção aguda grave.

> Hospitais em diversos países apostam em sistemas digitais para prevenir a sepse, o que melhora o prognóstico.

Os gestores dessa plataforma pretendem ainda criar uma interoperabilidade entre os prontuários dos indivíduos com sepse para que qualquer clínico autorizado possa vê-los e saber de que forma os pacientes estão sendo tratados e com quais resultados. A adição dessas informações em tempo real é fundamental para o planejamento de estratégias de resistência antimicrobiana, uma das grandes preocupações mundiais. A plataforma Nervecentre poderá abranger o histórico de resistência aos antimicrobianos para ajudar os médicos a otimizarem os tratamentos.

◉ *Machine learning* para proteger a visão

O risco de perder a visão e de não ser diagnosticado a tempo é uma ameaça comum em muitos países. Dois milhões de pessoas no Reino Unido convivem com algum nível de perda da visão. Segundo os registros eletrônicos, cerca de 350 mil indivíduos estão cegos ou parcialmente cegos. Para prevenirem novos casos e oferecerem suporte aos que convivem com as consequências do déficit visual, pesquisadores do Moorfields Eye Hospital NHS Foundation Trust e seus parceiros criaram um *software* para rastrear pacientes com doenças que potencialmente levam à cegueira. Ensaios clínicos mostraram que esse sistema está habilitado a triar com sucesso mais de 50 doenças oftalmológicas com 94% de margem de acerto.

No detalhamento desse trabalho inovador, publicado *on-line* pela revista científica *Nature,* os especialistas explicam que a IA e *machine learning* foram usadas para ensinar o sistema operacional a reconhecer sinais e sintomas preditivos de doenças oculares e a identificar precocemente os pacientes em risco a partir do estudo de exames e informações fornecidos por alguns dos mais renomados oftalmologistas do mundo. A tecnologia tem o potencial de mudar a forma como os profissionais realizam exames oftalmológicos e pode ajudá-los a priorizar os pacientes com doenças oculares mais graves antes que ocorram danos irreversíveis. Com o tratamento certo na hora certa, muitos casos são evitáveis.

Na Austrália, outra pesquisa engendrou uma tecnologia capaz de alcançar os pacientes em risco de cegueira, onde quer que estejam. Para isso, são necessárias pequenas câmeras especiais, mas de baixo custo, *smartphones* e banda larga via satélite. O *software* Remote-I, desenvolvido com financiamento público e a participação da Sociedade Australiana de Oftalmologistas, captura em alta resolução imagens da retina do paciente e as envia criptografadas a oftalmologistas por meio de banda larga via satélite. Aplicado ao longo de 12 meses em 900 pacientes, o Remote-I mostrou capacidade de ampliar o acesso aos serviços de saúde de populações que vivem em áreas remotas ou que enfrentam outras dificuldades, como idosos e indígenas. Depois dos bons resultados, a Commonwealth Scientific and Industrial Research Organisation (CSIRO, a agência digital de pesquisa australiana) licenciou o Remote-I para uma empresa do Vale do Silício, a TeleMedC, que planeja levar a tecnologia para os Estados Unidos e para o mercado mundial.

 Saúde digital em domicílio

Nunca houve um ambiente tão convidativo à mudança. Milhares de instituições e *startups* desenvolvem tecnologias que podem mudar, de uma hora para a outra, a maneira como cuidamos da saúde. Um dos conceitos na base dessa transformação é diminuir a carga sobre os hospitais e melhorar as condições de autogerenciamento e cuidados domiciliares. Por isso, soluções no campo da telessaúde estão em teste em diversos países e em associação com algoritmos preditivos. A pergunta a ser respondida por esses ensaios é se o gerenciamento de condições crônicas a distância é suficiente para melhorar os indicadores de saúde e prevenir crises. Um desses os estudos observou 287 pacientes em seis locais da Austrália. Os indivíduos receberam um dispositivo de telessaúde com recursos de videoconferência para conversas entre os participantes e seus clínicos, trocas de mensagens e também ferramentas para monitorar dados como ecocardiograma, frequência cardíaca, espirometria, pressão arterial, saturação de oxigênio, peso corporal, temperatura corporal e medidas da glicose. Com esses dados, os profissionais da saúde avaliaram remotamente mudanças nas condições de seus pacientes e formularam intervenções mais precocemente para melhorar a qualidade de vida e ajudá-los a permanecer fora da rede de cuidados intensivos. No Reino Unido, fornecedores de serviços domiciliares já conectam pacientes que precisam de apoio com cuidadores que circulam próximos às suas moradias. *Chatbots* com IA estão sendo aprimorados para dar suporte aos cuidadores de pessoas com demência, entre outros usos. Há também novos sistemas de monitoramento baseados em sons emitidos pelo paciente durante o sono, para melhorar o cuidado noturno, como o desenvolvido pela WCS Care. O *software* dispara alertas se os ruídos produzidos durante o sono excederem os níveis delimitados como normais. Com isso, as equipes identificam se os residentes precisam de cuidados e apoio adicionais durante a noite. De acordo com avaliações do sistema de saúde inglês, os resultados desse monitoramento noturno são positivos, com menores distúrbios, diminuição do número de quedas e melhora qualidade do atendimento.

Controle domiciliar dos doentes renais

Um em cada dez residentes na Austrália sofre de doença renal crônica, exigindo a realização de 1,4 milhão de procedimentos de diálise por ano. Uma das possibilidades de tratamento para esses pacientes é a diálise peritoneal. Diferentemente da hemodiálise (procedimento em que uma máquina limpa e filtra o sangue), feita em centros médicos, a diálise peritoneal consiste no tratamento do fluido abdominal. É mais barata que a diálise hospitalar e pode ser feita em casa, ajudando a manter a saúde e a independência do paciente. A proposta do sistema de saúde australiano é incentivar mais pacientes a usar essa forma de diálise. Quando adequado, o procedimento poderia reduzir a carga das visitas hospitalares de hemodiálise para pacientes e hospitais.

Para viabilizarem essa possibilidade e melhorarem os resultados dos pacientes que se submetem à diálise peritoneal, pesquisadores do CSIRO desenvolveram uma plataforma móvel de saúde em colaboração com enfermeiras de diálise peritoneal do Logan Hospital, em Queensland, Austrália. A plataforma, denominada PD-BUDDy, associa um aplicativo de *smartphone* para pacientes e um portal para os médicos. Testes com 30 pacientes no Hospital Logan mostraram que os pacientes tiveram menor probabilidade de contrair infecções enquanto usavam o aplicativo para monitorar o progresso e os sintomas. A plataforma permite obter e seguir uma prescrição personalizada de diálise definida pela equipe clínica e registrar a resposta ao tratamento em tempo real. Também propicia a interação remota com a equipe médica, reduzindo a necessidade potencial de visitar o hospital.

> Uma plataforma digital que associa um aplicativo para pacientes e um portal para os médicos reduziu as idas ao hospital.

Os médicos podem usar o portal seguro do PD-BUDDy para monitorar o progresso dos pacientes em tempo real, realizar intervenções oportunas, melhorando a eficiência. Os australianos estudam a adaptação da plataforma para amparar também pacientes de hemodiálise e de transplante renal, pois acreditam que ela tem amplo potencial para ajudar pacientes e médicos em diversos países.

Sentinela previne erros no uso da medicação

Cerca de 250 mil australianos são hospitalizados por erros de medicação e efeitos adversos a cada ano, segundo levantamento da Sociedade Farmacêutica da Austrália. Esse número supera as internações por acidentes de carro, conforme dados da Agência Digital Australiana de Saúde (a operadora do *My Health Record*, registro unificado eletrônico). Com o objetivo de intervir nessa realidade, parceiros criaram uma ferramenta digital voltada ao suporte e às orientações aos pacientes para prevenir a readmissão não planejada e precoce no hospital por tais motivos. O programa conecta 290 farmacêuticos comunitários a 5 mil pacientes da cidade de Melbourne e seus registros de saúde em tempo real. Participam da iniciativa a Eastern Health (um dos maiores fornecedores de serviços de saúde pública metropolitanos), a Sociedade Farmacêutica da Austrália e as universidades Monash e Deakin.

♥ Reabilitação cardíaca em casa

Melhorar a vida do paciente sem tirá-lo de casa é um conceito que norteia o desenvolvimento de novas ferramentas. Uma das áreas mais fecundas em projetos que transformam o jeito de suprir essa necessidade é a reabilitação. Modelos baseados em casa são considerados uma alternativa viável para evitar barreiras que contribuam para a baixa adesão atual aos programas baseados em centros de atendimento. A plataforma *Care Assessment Platform (CAP)* combina aplicativos de *smartphones*, *softwares* e um portal de internet para oferecer um programa completo de reabilitação cardíaca. Pode ser acessada pelo paciente pelo *smartphone* ou computador. Um sensor embutido no celular garante a coleta de dados do paciente em tempo real durante os exercícios; o *software* Wellness-Diary é usado para capturar informações sobre os fatores de risco fisiológicos dos pacientes e demais informações sobre a sua saúde. Sessões de aconselhamento em vídeo e teleconferências dão suporte às mudanças de comportamento ancoradas em metas definidas pelo paciente em conjunto com os mentores do programa no portal acessado pela internet. O conteúdo multimídia educacional é armazenado ou transferido por meio de sistemas de mensagens para o telefone do paciente para ser visualizado sob demanda.

O Hospital Prince Charles, em Brisbane, na Austrália, conduziu um ensaio clínico para comparar os resultados de saúde da CAP e o custo do modelo proposto com um programa tradicional de reabilitação baseado em centros de atendimento. Uma das constatações da investigação foi a de que os pacientes que recebiam um programa de reabilitação *on-line* tinham muito mais probabilidade de participar do treinamento (80%) do que aqueles que precisavam se deslocar até um ambulatório (62%). Além disso, os pacientes que usaram o aplicativo foram mais propensos a adotar as regras do programa e segui-lo até a conclusão (80% contra 47%). O estudo demonstrou que a plataforma de reabilitação cardíaca proporcionou os mesmos resultados, senão melhores, em relação aos programas tradicionais de reabilitação, com o aumento da probabilidade de adoção e conclusão. Os especialistas se preocupam também em advertir que a plataforma de reabilitação não substitui o programa padrão com supervisão médica, mas oferece uma opção mais flexível para pacientes elegíveis e minimiza a dependência de visitas aos centros de atendimento.

☑ Plataforma para recuperar joelhos

As cirurgias de substituição total da articulação do joelho (artroscopia completa) tendem a continuar aumentando sob o impacto de fatores como o envelhecimento da população e o crescimento da obesidade. Sabe-se que exercícios de reabilitação melhoram as condições para a cirurgia e ajudam na reabilitação após a colocação de próteses, no entanto, muitos pacientes não conseguem aderir a um plano eficaz. Em função desse quadro, a companhia Johnson & Johnson Medical Devices, em colaboração com pesquisadores australianos, desenvolveu uma plataforma digital para oferecer a reabilitação a distância.

O sistema Activate TKR é composto de um aplicativo (app) para *smartphone*, um rastreador de atividade vestível (para estimular exercícios básicos, acompanhar o sono e monitorar o progresso), vídeos de fisioterapia, listas de verificação pré-cirúrgicas e informações de apoio em formato de texto, vídeo e áudio. A plataforma também se conecta a um portal de internet no qual os médicos podem configurar programas individualizados de fisioterapia e monitorar o progresso do paciente remotamente. Lançada em novembro de 2016, a iniciativa está sendo avaliada em quatro hospitais por 150 pacientes submetidos à artroscopia total. Avaliações sobre eficácia clínica, satisfação do paciente, cuidado e economia estão em andamento.

🖥 Aposta na telessaúde

Um dos desafios dos sistemas de saúde é reduzir a espera entre a consulta com o médico generalista e com o especialista. Atualmente, no Canadá, o tempo médio a partir da consulta com os provedores de cuidados primários até a consulta com um especialista é de seis a sete semanas. É um intervalo crítico, pois nessa fase os pacientes ainda não têm um plano de tratamento. Por essa perspectiva, serviços como a telemedicina e o eConsult, nos quais os profissionais de atenção primária tiram dúvidas com especialistas para elaborar um plano de tratamento, têm oferecido resultados animadores para agilizar o acesso aos cuidados de saúde.

O eConsult é um sistema seguro de *e-mail* que usa a Ontario Telemedicina Network (OTN) para conectar prestadores de atenção primária a especialistas. Por meio desse serviço, médicos e enfermeiros da atenção primária podem solicitar opções de tratamento, pedir conselhos ou conferir diagnósticos, recebendo respostas em menos de três dias. A partir disso, podem contar com a experiência e o conhecimento de um especialista, com respostas mais rápidas ao paciente, evitando novas consultas ou deslocamentos desnecessários.

Outro recurso são as visitas e consultas virtuais, que têm se mostrado bastante úteis em situações de triagem de pacientes em meio a surtos de doenças infecciosas, por exemplo, e também no gerenciamento de pacientes com distúrbios mentais, ao permitir que os profissionais de saúde acompanhem seus pacientes em um sistema de comunicação *on-line* seguro, seja por meio de mensagens, seja por telefone ou vídeo. As visitas virtuais reduzem consideravelmente os deslocamentos de equipes de saúde ou de pacientes, diminuem a demanda nos ambulatórios e melhoram a satisfação tanto dos provedores de saúde quanto dos pacientes. Elas também se aplicam ao processo de renovação de medicamentos, de explicação de resultados de exames de saúde, para avaliação de problemas de pele e alergias, gripes e resfriados, e de acompanhamento de pacientes com doenças crônicas, de saúde mental e de educação para saúde.

> As visitas virtuais reduzem os deslocamentos de equipes de saúde e de pacientes, diminuindo a demanda nos ambulatórios.

Os *tablets* também fazem parte do arsenal digital que pode auxiliar os clínicos gerais (ou *general practicioners*, em inglês) a fazer rastreamentos e identificar, por exemplo, alterações mentais na população atendida. São esses prestadores de cuidados primários que rastreiam, diagnosticam e estabelecem a jornada desses pacientes no sistema. Por meio dessa interface portátil, os médicos aplicam questionários padronizados enquanto os pacientes aguardam em sala de espera. As respostas tendem a ser mais espontâneas do que aquelas obtidas em entrevistas presenciais e são usadas para atualizar o registro médico eletrônico (EMR) em tempo real.

Isso auxilia na identificação de pessoas com transtornos como ansiedade, depressão e outras enfermidades. Para as equipes médicas, essas avaliações apoiam um quadro mais abrangente do estado de saúde mental do paciente, indicam risco potencial de suicídio e reduzem a probabilidade de a condição do paciente ser diagnosticada erroneamente. As estimativas apontam que uma em cada cinco pessoas apresenta alguma alteração mental no Canadá, entre outras patologias.

Dependendo da gravidade do problema, os pacientes podem ser encaminhados a especialistas e programas de apoio na comunidade. Aliás, o processamento dos algoritmos em tempo real pode gerar alertas para as mais diversas condições. Tudo é uma questão de estabelecer prioridades e informá-las aos programadores.

Melhorias em gestão

É possível pedir quase tudo aos *softwares*, desde que a instituição ou empresa saiba o que quer obter dos dados. O Reino Unido, por exemplo, listou entre suas prioridades estimular a redução do tempo de desocupação dos leitos de pacientes com alta médica e também o tempo de espera por cuidados subsequentes à internação. Desenvolvida com essa atribuição, a ferramenta digital Capacity Tracker acessa dados de várias plataformas para informar a disponibilidade de vagas em centros que fornecem cuidados intermediários, como as casas de assistência ou lares para idosos. No sistema de saúde britânico, esse tipo de serviço de suporte ao paciente ocupa um lugar importante entre a atenção básica e a assistência hospitalar para aqueles que deixam o hospital precisando de algum suporte a ser providenciado pela assistência social ou até mesmo para voltar à vida independente.

É nessa passagem que os especialistas identificaram situações que desperdiçam tempo, como a espera pela conclusão das avaliações feitas por equipes multidisciplinares para definir a necessidade de cuidados pós-alta e a procura de vagas em serviços de suporte ao paciente. Ao gerar um mapa de disponibilidade de atendimento, o Capacity Tracker poupa as equipes de saúde e familiares desse trabalho moroso.

Problemas com a rotatividade e os gastos elevados com o recrutamento de profissionais para cobrir férias ou licenças de funcionários também levaram o East Kent Hospitals University NHS Foundation Trust a buscar novas soluções. Um dos maiores hospitais da Inglaterra, a instituição gerencia diversos serviços e atende aproximadamente 800 mil pessoas. Com a ajuda de algoritmos para identificar vagas, a equipe de farmácia clínica colocou *on-line* seu planejamento completo e escalas de trabalho. Além de permitir maior controle dos próprios funcionários sobre o quanto e quando trabalhariam, a medida aumentou a capacidade de prever e planejar a equipe, melhorou as condições de recrutamento e retenção de pessoal e reduziu o absenteísmo por doença e licenças não autorizadas.

 **Eficiência e inovação em pesquisa**

Com a finalidade de criar benefícios sinérgicos maiores do que a soma das partes – a chamada inovação combinatória – programas de investigação científica no formato *Test Bed* estão em andamento em várias regiões do mundo. Eles associam tecnologias diferentes para avaliar seu desempenho no mundo real e saber como podem transformar positivamente o modo como os cuidados de saúde são fornecidos aos pacientes e cuidadores. No Reino Unido, o primeiro programa *Test Bed*, anunciado em janeiro de 2016, dedicou-se a investigar o desempenho de sete plataformas tecnológicas à luz de três linhas gerais: a capacidade dos algoritmos preditivos em gerenciar pacientes em risco de desenvolver alguma condição; a agregação de dados em um único local para informar a tomada de decisões operacionais e clínicas e melhorar a capacidade de um indivíduo de gerenciar sua condição e, por fim, monitorar o risco de crise dos pacientes em suas jornadas clínicas, estejam eles no hospital, no domicílio ou lares para cuidados intermediários. A iniciativa envolve nada menos do que 40 inovadores, 51 produtos digitais, 8 equipes de avaliação e 5 organizações de voluntários e mobiliza grandes investimentos da indústria e do setor público. Austrália, Canadá e Estados Unidos também possuem estudos nesse formato. No outono de 2018, o governo britânico lançou mais uma edição com sete estudos no formato *Test Bed*. Dessa vez, a meta é explorar o potencial de múltiplas tecnologias de ponta, da IA aos *wearables* no enfrentamento de alguns dos maiores desafios do sistema, como o diabetes, o rastreamento do câncer de mama e o redesenho das trajetórias de atendimento de urgência em cardiologia e maternidade.

SOLUÇÕES DIGITAIS ADOTADAS EM DIVERSOS PAÍSES PARA RESOLVER PROBLEMAS DO COTIDIANO

Desafios	Soluções em uso ou testes clínicos
Identificar as principais doenças crônicas causadoras de internações hospitalares e prevenir a hospitalização	Padronização da entrada de dados sobre doenças crônicas e melhora do gerenciamento dos pacientes.
	Consolidação de bases locais de dados com padrões quer permitiam a sua integração em sistemas maiores.
	IA para analisar informações integradas das áreas de saúde e assistência social (atenção primária, secundária, saúde mental, assistência social e comunitária) e identificar as pessoas com maiores fragilidades e/ou chances de internação, suas necessidades e opções.
	Uso de plataforma que atualiza os dados do paciente à luz das novas informações inseridas durante a consulta. O algoritmo informa o risco de diabetes, demência e outras doenças e os cuidados que essa pessoa necessita.
	Uso de ferramenta que integra o prontuário eletrônico unificado dos provedores de cuidados primários com os melhores protocolos de tratamento para cada doença e para o paciente.
	Participação de ampla rede de parceiros no desenvolvimento e implantação dos dispositivos digitais: indústrias, ONGs, governo, associações médicas, profissionais da saúde e pacientes.
	Uso de ferramentas para monitoramento de dados a distância (ecocardiograma, frequência cardíaca, espirometria, pressão arterial, saturação de oxigênio, peso e temperatura corporais e medidas da glicose) e recursos como videoconferência e mensagens por *e-mail* para orientar o paciente, familiares e cuidadores.
	Software que monitora os sons emitidos durante o sono e dispara alertas se os ruídos produzidos excederem
Diminuir o número de novos casos de diabetes tipo 2 e suas complicações e aumentar a adesão ao tratamento	IA para identificar pessoas em alto risco de ter diabetes e desenvolver plataforma digital (Diabetes Digital Coach) que combina cinco ferramentas para orientar os pacientes (dieta, atividade física, qualidade do sono, tomada de medicamentos e monitoramento dos níveis de glicose no sangue).
Evitar a sepse e reconhecer precocemente os sinais da infecção	A plataforma Nervecentre une os dados do paciente à lista de indicadores da infecção. Se o paciente apresentar um perfil de alterações compatíveis com o surgimento da sepse, o sistema emite um alerta para médicos e enfermeiros colocarem em práticas os protocolos de tratamento.
	A combinação do algoritmo, do escalonamento automatizado e da priorização de tarefas ajuda a eliminar os fatores humanos que podem retardar a identificação e o início da terapia.

Desafios	Soluções em uso ou testes clínicos
Prevenir a perda da visão e dar suporte aos pacientes que sofrem com o déficit visual	Com IA, machine learning e informações fornecidas por alguns dos mais renomados oftalmologistas do mundo, o sistema identifica sinais e sintomas preditivos de doenças oculares e analisa os pacientes em risco. Com uso de pequenas câmeras especiais (de baixo custo) e *smartphones*, o *software* Remote-I captura imagens da retina do paciente em alta resolução e as envia, criptografadas, por meio de banda.
Prevenir a readmissão não planejada e precoce nos hospitais por erros de e efeitos adversos	Ferramenta digital que conecta os pacientes e seus registros de saúde em tempo real a farmacêuticos comunitários, fornecedores de serviços de saúde pública e universidades.
Realizar a reabilitação do paciente sem sair de casa	A plataforma de reabilitação cardíaca Care Assessment Platform (CAP) combina recursos. Enquanto um sensor no *smartphone* coleta dados em tempo real, o *software* analisa fatores de risco e sugere metas. Aconselhamento em vídeo e teleconferências dão suporte às mudanças de comportamento. O conteúdo multimídia educacional é transferido para o *smartphone* e acessado sob demanda. A plataforma de *reabilitação* ortopédica Activate TKR é composta de um aplicativo para *smartphones*, wearables para rastrear a atividade (estimular exercícios básicos, bem como acompanhar o sono e monitorar o progresso), vídeos de fisioterapia, listas de verificação pré-cirúrgicas e informações de apoio em texto, vídeo e áudio. A plataforma se conecta a um portal no qual os médicos podem configurar programas individualizados de fisioterapia e monitorar o progresso do paciente.
Reduzir o tempo de espera entre a consulta com o médico generalista e o especialista	Sistema seguro de *e-mail* que conecta prestadores de atenção primária a especialistas. Médicos e enfermeiros da atenção primária podem solicitar opções de tratamento, pedir conselhos e conferir diagnósticos, recebendo as respostas em menos de três dias. Sistemas *on-line* seguros para realização de consultas e visitas virtuais. Podem ser usados questionários por *tablet*. Esses recursos auxiliam a triagem de pacientes em meio a surtos de doenças infecciosas e gerenciam pessoas com alterações mentais (ansiedade, depressão e outras enfermidades). O recurso também se aplica à renovação de medicamentos, avaliação de problemas de pele.
Reduzir o tempo de desocupação dos leitos de pacientes com alta médica e o tempo de espera por cuidados subsequentes à internação	A ferramenta digital Capacity Tracker traça um mapa da disponibilidade de vagas em centros de suporte às pessoas que têm alta dos hospitais, mas que ainda precisam de cuidados especiais.

Capítulo 4

O PANORAMA BRASILEIRO

92

PARTE 1

O IMPACTO DA TRIPLA CARGA SOBRE A SAÚDE, OS CUSTOS E A GOVERNANÇA

O primeiro passo para identificar os benefícios potenciais das soluções digitais é estabelecer um diagnóstico dos principais desafios da saúde brasileira. Hoje, o Brasil envelhece como a Suécia, morre como a Síria e adoece como a África do Sul, porque ainda somos um país com profundos contrastes. Como a população da Suécia, uma parcela de brasileiros que vive em bairros nas áreas nobres e mais ricas do país registra tanto o aumento das doenças crônicas como a elevação da expectativa de vida. Nesses lugares, a média de idade ao morrer ultrapassa os 80 anos. Porém, como a Síria, um país consumido pela guerra, o Brasil é marcado por mortes violentas, especialmente homicídios. Também nos parecemos com a África do Sul, que enfrenta graves epidemias de malária, dengue, zika, chikungunya e outras doenças infectocontagiosas.

Desse modo, o país convive com o peso de uma tripla carga de doenças. Quatro em cada dez brasileiros adultos manifestam doenças crônicas como pressão alta, diabetes, problemas respiratórios, cardíacos ou câncer, segundo o Instituto Brasileiro de Geografia e Estatística (IBGE). Com o envelhecimento da população, a tendência é que a participação dessas enfermidades aumente cada vez mais.

Na última década, o número de novos casos de diabetes registrou um aumento de 64%, chegando a cerca de 18 milhões, de acordo com dados da Pesquisa de Vigilância de Fatores de Risco para Proteção de Doenças Crônicas por Inquérito Telefônico – Vigitel. Todas essas pessoas demandam atendimento a longo prazo, incluindo terapias complementares, como fisioterapia e medicamentos que devem ser consumidos por toda a vida. É importante assinalar que as doenças crônicas são hoje as que mais matam no Brasil: 72% dos óbitos, em dados de 2012, segundo o documento *Uma Agenda para Transformar o Sistema de Saúde*, do Instituto Coalizão Saúde (ICOS). No topo da lista estão os problemas cardiovasculares, seguidos pelo câncer, que aumentou cerca de 2% ao ano no período entre 1990 e 2013 e cuja incidência continua crescendo.

O segundo motivo que mais rouba a vida dos brasileiros são as doenças infecto-contagiosas (16%). Causadas por vírus e bactérias, elas são mais prevalentes em países pobres, carentes em saneamento e sem controle eficiente de endemias e epidemias. Em 2017, o país registrou um crescimento de 50% no número de casos de malária, especialmente na Amazônia, e de 25% nos casos de febre amarela. Em 2018, houve novo recrudescimento da malária na Amazônia, especialmente da forma mais grave e fatal, e a disseminação da febre amarela, particularmente na Região Sudes-

> As doenças crônicas são hoje as que mais matam no Brasil, seguidas pelas infectocontagiosas.

te, além de epidemias de sífilis, tuberculose e surtos de caxumba e de sarampo – o Brasil perdeu em 2019 o certificado de país livre de sarampo, emitido três anos antes. A dengue cresceu 95% entre 2015 e 2016, ano em que o país viveu a maior epidemia da doença e de males relacionados ao vetor *Aedes aegypti*, também transmissor das febres zika e chikungunya. Diante dessa situação, o diagnóstico dos médicos sanitaristas reunidos na Associação Brasileira de Saúde Coletiva (Abrasco) é de que estamos em meio a uma tragédia sanitária com graves consequências a curto, médio e longo prazo.

Observa-se que são todas enfermidades preveníveis. Um dos fatores que contribuem para a disseminação do *Aedes aegypti* (que por duas vezes foi banido do país, em 1955 e 1973) é a falta de abastecimento regular de água, o que leva 35 milhões de brasileiros a armazená-la em condições que favorecem a reprodução do mosquito. No Brasil, só 48,6% da população têm acesso à coleta de esgoto e apenas 39% dos dejetos recebem tratamento. Tuberculose, diarreia, hepatite e parasitoses (como amebíase) também estão relacionadas às condições ruins de saneamento. A conta disso tudo é alta, mas poderia ser reduzida drasticamente se houvesse investimento em estrutura sanitária. Segundo o Instituto Trata Brasil, cada R$ 1 investido em saneamento gera uma economia de R$ 4 na saúde pública.

As causas externas, como a violência e os acidentes de trânsito, têm forte participação na mortalidade e incapacitação dos brasileiros (12%). A taxa de homicídios vinha crescendo, em média, à base de 4% ao ano; 19 municípios brasileiros figuram entre as 50 cidades mais violentas do mundo (BNDES, 2017). Ainda que o problema afete indivíduos de todas as idades, um dos grupos mais vulneráveis e atingidos são as mulheres e os homens jovens e negros em áreas de periferia. Eles são as principais vítimas dos conflitos armados. O número de mortes violentas caiu mais de 10% em 2018, para 51.589 assassinatos. Mesmo assim, ainda é alto, e a taxa de 24,7 mortes a cada 100 mil habitantes ainda mantém o Brasil no topo do *ranking* mundial de homicídios. Foram mais de 500 mil mortos nos últimos dez anos, número semelhante ao total de mortos da Síria nos quase oito anos de conflito armado do país.

A mudança do perfil demográfico brasileiro

O Brasil também passa por uma profunda transformação na evolução de sua população. Nunca vivemos tanto. Em julho de 2018, a expectativa de vida no país atingiu a sua maior média histórica – 76 anos. É um salto de 22 anos em relação à década de 1960, quando a média era 54 anos. Há outro fenômeno em andamento. Antes um país onde a maior parte dos habitantes era jovem, hoje, aproxima cada vez mais seu perfil demográfico ao de países desenvolvidos, em que a maior parte da população é composta de indivíduos mais velhos. Se em 2015 o Brasil tinha mais jovens do que velhos, agora essa proporção caminha para a inversão. A previsão é de que a população acima de 60 anos triplique até 2030 e que o Brasil tenha nove vezes mais nonagenários e menos da metade de jovens em 2065. Quando isso acontecer, nossa pirâmide etária se parecerá muito com a apresentada pelo Japão de hoje.

A semelhança, porém, se restringe ao formato. Viver mais significa também gastar mais, seja em cuidados em saúde, seja com os custos da própria previdência social, o que gera impacto em termos de sustentabilidade. Essa é uma discussão que envolve escolhas difíceis, como aumentar o tempo de contribuição e a limitação dos benefícios no campo da saúde. Infelizmente, não é possível oferecer tudo para todos. Ao mesmo tempo, muitos países investem na criação de políticas sólidas para promover a saúde e bem-estar na terceira idade, área em que o Brasil ainda engatinha.

O Japão está atento ao problema. Nas últimas duas décadas, vem adotando medidas para enfrentar o envelhecimento da população, o encolhimento da economia e uma taxa crescente de gastos com a saúde. Em 2010 e nos anos seguintes, por exemplo, foram feitas reformas para melhorar a sustentabilidade do sistema de previdência social que tiveram, entre suas premissas, a preocupação de reduzir a pobreza e a desigualdade de renda. Os japoneses também elaboraram planos municipais de atendimento até 2025 com base na oferta e procura de cuidados de saúde para oferecer apoio aos idosos, da prevenção de doenças aos cuidados de longa duração em suas respectivas comunidades.

No Brasil, a preparação para cuidar de uma população cada vez mais idosa é urgente. O envelhecimento implica aumento da incidência de doenças crônicas e também das neurodegenerativas, como Alzheimer e Parkinson. São enfermidades que, como descrito, demandam cuidado para o resto da vida, de medicações a terapias complementares. A assistência multiprofissional – médicos, enfermeiros, psicólogos, assistentes sociais, nutricionistas e fisioterapeutas – torna-se fundamental para que o tratamento seja seguido à risca. No entanto, faltam políticas públicas para lidar com a transformação demográfica em curso.

Outra diferença estrutural está na evolução da renda média per capita anual. Voltemos ao exemplo do Japão: a renda per capita japonesa foi de US$ 479 em 1960 para US$ 38.420 mil em 2017, enquanto no Brasil subiu de US$ 210 para US$ 9.821 no mesmo período (World Bank). Se o cenário de crescimento da renda per capita das últimas décadas se mantiver, continuaremos com um Produto Interno Bruto (PIB) per capita muito inferior ao do país asiático. E isso irá repercutir na capacidade individual de financiar a própria saúde. Mantidas as perspectivas de aumento da nossa renda média per capita das últimas décadas, apenas 10% das pessoas acima de 60 anos terão condições de pagar por um plano de saúde privado em 2030. O restante ficará a cargo do sistema público de saúde.

Mais um componente a ser considerado são as grandes desigualdades vigentes no país. Obviamente, sabemos que o aumento da expectativa de vida e a prosperidade não estão sendo compartilhados de forma equânime. Como essas desigualdades se expressam? Para se ter ideia, a idade média ao morrer de um morador do Jardim Paulista, bairro nobre da capital paulista, é 79,4 anos, enquanto a média de idade ao morrer de um morador do Jardim Ângela, bairro mais pobre da região sul, é de 55,7 anos. São 23,7 anos de diferença, conforme o Mapa da Desigualdade, da Rede Nossa São Paulo. Em localidades como a favela Paraisópolis, na região do Morumbi, na capital paulista, a idade média ao morrer está em torno de 47 anos. Nas periferias, além das dificuldades de acesso aos serviços de saúde, a violência que incide sobre os jovens pobres pesa muito como redutor do tempo médio de vida.

> O aumento da expectativa de vida e a prosperidade no Brasil não são compartilhados de forma equânime.

Em termos de distribuição de renda, somos o décimo país mais desigual do mundo, de acordo com o Relatório de Desenvolvimento Humano da Organização das Nações Unidas. Em 2017, 45% da riqueza gerada ficou concentrada nas mãos dos 10% mais ricos, enquanto menos de 1% chegou aos 10% mais pobres (IBGE). A renda média de um indivíduo que vive no Campo Belo, bairro nobre na zona centro-sul da cidade de São Paulo, é oito vezes maior do que a renda média de um cidadão que vive em Marsilac, bairro pobre no extremo sul da cidade, a 60 km da Praça da Sé, no centro histórico da capital. Na capilaridade urbana, essas diferenças implicam dificuldade de acesso a bens e serviços, incluindo, claro, a saúde.

Custos e governança

Em termos orçamentários, o Brasil gasta cerca de 9% do seu PIB em saúde, mas com resultados abaixo de outras nações em condições similares (ICOS). O país possui uma expectativa de vida ao nascer de 75,7 anos (Relatório de Desenvolvimento Humano, ONU, 2017). Outros países têm expectativa de vida maior com gastos per capita moderadamente superiores, como o Chile. A Turquia tem expectativa de vida semelhante com gastos ligeiramente superiores (OMS; Word Bank; Global Health Expenditure Database).

A maior parte dos nossos recursos de saúde (67%) é consumida no atendimento a casos agudos e serviços de média e alta complexidade, enquanto a média dispensada pelos países membros da Organização para a Cooperação e Desenvolvimento Econômico (OCDE) para essa finalidade é de 55%. A organização reúne 36 países, como Canadá, Austrália e Reino Unido, com elevado índice de desenvolvimento humano (IDH), e oferece plataformas para comparar políticas econômicas, solucionar problemas comuns e coordenar políticas domésticas e internacionais.

O que sugerem esses dados? A experiência internacional mostra que a atenção primária é mais eficaz para controlar doenças crônicas, pois permite a coordenação do cuidado e acompanhamento desses casos, evitando internações desnecessárias. Também há evidências de que é possível reduzir significativamente as internações por meio do fortalecimento da qualidade e do avanço da atenção primária nos setores público e privado.

No Brasil, informações veiculadas pelo Instituto Coalizão Saúde indicam que 31% das internações poderiam ser evitadas com a expansão da atenção primária, em especial aquelas causadas por complicações de doenças crônicas (como amputações em pacientes diabéticos). Em outros países, o número de internações causadas por problemas resultantes da falta de cuidado básico é significativamente menor – 4% no Reino Unido e Austrália, 5% no Canadá e 8% nos Estados Unidos.

Outro ponto é a governança implantada no gerenciamento da saúde pública atualmente no Brasil. Os entes do sistema de saúde nacional seguem atuando de modo independente, sem valorizar e aproveitar as situações de maior cooperação entre o público e o privado ou público e público. O ganho com uma atuação mais cooperativa seria a melhor organização de regiões de saúde, promovendo a descentralização e tornando, dessa maneira, o atendimento mais acessível.

Chama a atenção que a maioria dos municípios brasileiros é de pequeno porte (69%), com cerca de 20 mil habitantes e apenas 1% das cidades brasileiras tem mais de 500 mil habitantes. A maioria (81%) tem um grau de dependência financeira muito alta das receitas estaduais e federais (ICOS, baseado no pilar Receitas Próprias do Índice Firjan de Gestão Municipal). Como se não bastasse, os municípios carregam uma pesada carga de tarefas complexas para as quais não possuem os recursos necessários. É da sua alçada planejar e executar serviços de atenção primária, vigilância epidemiológica e sanitária, saneamento básico, compra e manutenção de equipamentos e insumos, gestão de laboratórios, controle e fiscalização de serviços privados e normatização. Paradoxalmente, 54% das cidades brasileiras possuem hospital geral, uma das estruturas mais caras do sistema de saúde. Em geral, são hospitais pequenos, com baixa especialização e pouco integrados às redes de atenção. Isso mostra quanto o modelo hospitalocêntrico ainda prevalece, apesar dos progressos obtidos em mais de 20 anos de existência da Estratégia de Saúde da Família. A reversão dessa tendência é um grande desafio.

Existe aí uma oportunidade para maior participação do setor privado na redução da carga pública. Um modelo em que a iniciativa privada e o sistema público atuassem em parceria para resolver a demanda seria o ideal. É o que vem ocorrendo em países como o Canadá, cujo financiamento da saúde é coberto em sua maior parte pelo setor público. Iniciativas internacionais nesse sentido têm mostrado que o gerenciamento do setor público a partir da *expertise* do setor privado resulta em um aumento da eficiência de até 30%. Isso envolve, por exemplo, o controle do desperdício, o chamado *overuse* (no Brasil, estima-se que 33% dos gastos em saúde sejam desnecessários). Iniciativas como as Parcerias Público-Privadas e gestão por meio de Organizações Sociais em Saúde se disseminam pelo país, mas ainda são em número muito reduzido diante da magnitude das questões e do impacto necessário.

> O país oferece oportunidades para maior participação do setor privado na redução da carga pública.

Mais uma dificuldade é o modelo de remuneração do sistema e dos médicos. No país, o pagamento é baseado na prescrição – pagamento por serviço (*fee for service*), o que estimula a adoção de procedimentos desnecessários ou não suportados por evidências científicas para complementar os valores a serem cobrados. No mundo, diversos sistemas estão mudando o foco do pagamento para o desfecho (Leia mais sobre o tema no Capítulo 6). Evidentemente, essa é uma mudança intrincada e por etapas, mas que está em andamento inclusive em algumas instituições do país. Ela implica criação de indicadores eficientes para avaliar o custo, a qualidade e o desfecho de mecanismos de transparência e elaboração de uma regulação. Na atenção primária, o Brasil adota o pagamento per capita, por meio do piso da atenção básica (PAB), mas nos casos de média e alta complexidade a regra ainda é o pagamento por serviços, que estimula a adoção de procedimentos desnecessários. Nesse retrato dos desafios do sistema, destaca-se também o baixo uso de dados e de recursos da IA. Segue limitado o investimento em pesquisa e desenvolvimento. Essa é mais uma realidade que precisa ser rapidamente transformada para que possamos nos beneficiar de suas vantagens indiscutíveis para a reorganização do sistema, com redução do desperdício e otimização dos recursos. Boa parte do mundo caminha nessa direção.

Estudos revelam que a implantação de tecnologias como o *big data* e *advanced analytics* pode levar a ganhos de até 35% para o sistema, com impacto na redução dos custos e no desenho de modelos inovadores de atendimento e prevenção. Termo surgido em 1997, *big data* significa a imensa quantidade de dados não estruturados e novos dados produzidos a cada segundo pela humanidade. Se em 2012 estimava-se a geração de cerca de 2,5 quintilhões de bytes por dia, hoje sabemos que esse volume cresceu exponencialmente. Para se ter ideia, 90% dos dados atuais teriam sido gerados nos últimos dois anos. A tecnologia revolucionou a forma de tomar decisões e gerou impacto nas relações sociais e econômicas, na saúde e na ciência por meio da criação de novos meios para coletar, manipular, analisar e exibir dados. O *advanced analytics* é um campo abrangente e multidimensional que usa técnicas matemáticas, estatísticas, de modelagem preditiva e *machine learning* para gerar conhecimento a partir de grandes volumes de dados. O *analytics* permite, por exemplo, tomar decisões baseadas em amplas bases de dados e gerar perguntas nunca antes feitas.

> O modelo de remuneração do sistema e dos médicos estimula o desperdício.

PARTE 2

AS INICIATIVAS EM ANDAMENTO E OS OBSTÁCULOS A SEREM VENCIDOS

O Brasil é a quinta nação mais populosa e o sétimo mercado de saúde, com 5 milhões de postos de trabalho e quase 9% do PIB nacional. Também concentra uma grande quantidade de *startups* e um número crescente de hospitais, laboratórios, clínicas e empresas dispostos a investir em inovação. Esse cenário dinâmico faz com que o país seja visto como um centro gerador de novas tecnologias e o maior mercado de saúde digital da América do Sul. No âmbito dessa economia da inovação, se há um segmento em ebulição são as *startups*. Para se ter ideia do seu dinamismo, em 2018 elas atraíram investimentos de cerca de US$ 1 bilhão, além dos recursos de investidores-anjo e editais públicos. O panorama é vasto e há muita motivação.

As *startups* são tantas e únicas que poderíamos dedicar um livro apenas àquelas que lançaram soluções e produtos com potencial de modificar a satisfação de diversas necessidades. São empresas como a Neoprospecta, cuja

> O Brasil é a quinta nação mais populosa e o sétimo mercado de saúde, com 5 milhões de postos de trabalho e quase 9% do PIB nacional.

OS DESAFIOS DA SAÚDE BRASILEIRA

Doenças crônicas são a primeira causa de mortalidade no Brasil (72%)	• Quatro entre dez brasileiros adultos convivem com doenças crônicas: diabetes, hipertensão arterial, problemas respiratórios, cardíacos ou câncer. • Nos últimos dez anos, o número de pessoas com doenças crônicas cresceu 64%.
Doenças infectocontagiosas representam a segunda causa de mortalidade (16%)	• A dengue cresceu 95% entre 2015 e 2016, ano em que o país viveu a maior epidemia da doença e de males relacionados ao vetor *Aedes aegypti*, também transmissor das febres zika e chikungunya. • Em 2017, os casos de malária aumentaram 50% e os de febre amarela 25%, particularmente na Região Sudeste. • Em 2018, especialmente na Amazônia, viu-se um grande aumento no número de casos da forma mais grave e fatal da malária, a causada pelo *Plasmodium falciparum*. • Em 2018, o país registrou aumento nos casos de sífilis, tuberculose, surtos de caxumba e de sarampo. • Em 2019, o Brasil perdeu o certificado de país livre de sarampo, emitido três anos antes.
Causas externas respondem por 12% das mortes	• A taxa de homicídios cresce cerca de 4% ao ano. • Dezenove municípios brasileiros figuram entre as 50 cidades mais violentas do mundo. • Mulheres jovens e negras e homens jovens e negros em áreas de periferia são as maiores vítimas da polícia, das balas perdidas e dos conflitos com traficantes.
Variações na expectativa de vida	• Em julho de 2018, a expectativa de vida do brasileiro atingiu sua maior média histórica: 76 anos. • Enquanto um morador dos jardins, zona nobre de São Paulo, vive, em média, 79,4 anos, o morador do Jardim Ângela, distrito na zona sul da capital, vive, em média, 55,7 anos. • Na favela Paraisópolis, na região do Morumbi, na capital paulista, a idade média ao morrer é de 47 anos. Nos dois casos, pesa o número de mortes violentas de jovens.

OS DESAFIOS DA SAÚDE BRASILEIRA

Inversão da pirâmide etária	• Até 2030, a população acima de 60 anos deverá triplicar. Mantidas as atuais condições, apenas 10% das pessoas com mais de 60 anos terão condições de pagar um plano de saúde. • Em 2065, o Brasil terá nove vezes mais pessoas acima de 90 anos e menos da metade de jovens.
Concentração de renda	• Somos o décimo país mais desigual, de acordo com o Relatório de Desenvolvimento Humano da Organização das Nações Unidas (2017). • Quarenta e cinco por cento da riqueza gerada fica concentrada nas mãos dos 10% mais ricos; menos de 1% chega aos 10% mais pobres. • A renda média de um morador do Campo Belo, bairro nobre na zona centro-sul da cidade de São Paulo, é oito vezes maior do que a renda média de um cidadão que vive em Marsilac, bairro pobre no extremo sul da cidade, a 60 km da Praça da Sé, no centro histórico
Desperdício e a falta de planejamento	• O país gasta cerca de 9% do PIB em saúde; 76% são consumidos no atendimento a casos agudos e serviços de média e alta complexidade. Estima-se que 33% dos gastos em saúde sejam desnecessários. • Trinta e um por cento das internações poderiam ser evitadas com a expansão da atenção primária, em especial aquelas causadas por complicações de doenças crônicas (como amputações em pacientes diabéticos). • A taxa de internações causadas por problemas resultantes da falta de cuidados básicos é 4% no Reino Unido e Austrália, 5% no Canadá e 8% nos Estados Unidos.

especialidade é o desenvolvimento de tecnologias de microbioma•, baseadas em sequenciamento de DNA, genômica e bioinformática•. Suas soluções, aplicáveis à identificação de micro-organismos, são empregadas pelas indústrias alimentícia, farmacêutica e da saúde, que se beneficiam de uma linha de testes rápidos para detecção de genes de resistência aos antibióticos.

Outra empresa disruptiva, a Genomika, desenvolve testes genéticos e imunológicos para a oncologia, a hemato-oncologia, o diagnóstico de doenças raras e hereditárias e triagem neonatal. Alguns deles, inclusive, são cobertos pelas operadoras de saúde. Há também *startups* produzindo soluções para necessidades advindas da própria prática clínica, como a Kidopi, que atua no acompanhamento extra-hospitalar de pacientes e criou ferramentas de *data science•* e soluções sob demanda. Já a *expertise* da in9ve access é a telessaúde. Sua plataforma iCare aproxima médicos e pacientes e maximiza a eficiência no atendimento com laudos, monitoramento e colaboração médica a distância.

Os sinais da revolução digital em andamento podem ser percebidos em diversas organizações do setor privado. Na maioria dos hospitais de primeira linha, por exemplo, o uso dos *tablets* é parte da rotina para acessar o prontuário eletrônico e as informações de referência sobre medicamentos e os procedimentos realizados pelo paciente ou fazer uma teleconferência com especialistas de outros hospitais. A digitalização expande-se na área de cuidados integrais, monitoramento, gestão de leitos e muitos outros setores. Também permeia o setor de diagnósticos, modernizando estruturalmente laboratórios de análises clínicas e de exames de imagem.

> A digitalização expande-se nas áreas de diagnóstico, cuidados integrais, monitoramento, gestão de leitos, entre outras.

Um dos maiores focos de interesse é a implementação do uso da IA e *machine learning*. Ambos interferem na velocidade dos diagnósticos e no gerenciamento de recursos de um modo jamais experimentado. É o que vem sendo constatado desde que foi colocada em operação uma sala de controle para predição de leitos no Hospital Israelita Albert Einstein (HIAE), em São Paulo, uma liderança em inovação em saúde no país e no mundo. Instalada em meados de 2018, a sala de controle é fruto da associação dos esforços da instituição com uma empresa de inteligência analítica.

O alvo inicial dos recursos reunidos nessa sala de controle foi o pronto atendimento. Assim que o indivíduo chega ao hospital e comunica suas queixas, o sistema de algoritmos une essas informações aos dados do prontuário eletrônico para identificar se o primeiro atendimento deve ser feito por um médico especialista ou por um generalista. Enquanto isso, na sala de controle, um painel avalia a probabilidade de internação desse paciente em quatro momentos: na triagem, depois com a inserção dos novos dados imputados pela avaliação médica e exames prescritos, na sequência, com o resultado dos exames e por fim com a avaliação médica dos exames. Quando a pessoa passa a ser considerada um paciente virtual, o hospital faz uma reserva de leito. Isso permite uma previsão da ocupação diária em todas as áreas e, se necessário, o provimento de unidades de contingência. Além de diminuir o tempo de espera, o atendimento amparado em IA aumenta a eficiência e ajuda a reduzir o tempo de permanência no hospital, melhorando a experiência do paciente.

Na prática, a busca por maior eficiência do sistema é uma das mais sérias batalhas a serem travadas no país. Estima-se que o custo das "ineficiências" da saúde brasileira alcance cerca de US$ 18 bilhões a cada ano. Isso nos coloca na 51ª posição, entre 56, no índice da Bloomberg, que monitora custos médicos e valor em economias que atendem a um requisito de tempo de vida mínimo e de PIB. O índice foi divulgado em setembro de 2018.

E ainda que essa seja uma luta sem fim, o arsenal de recursos se renova trazendo vantagens estratégicas. Nessa direção, o Einstein configurou mais um avanço em 2018 com a criação de uma Central de Monitoramento Assistencial (CMOA) para atualizar, em tempo real, os algoritmos de cada paciente. Nesse modelo, os dados são imputados durante o cuidado no leito e analisados continuamente. O resultado de um exame de sangue, por exemplo, passa a ser considerado assim que é lançado no sistema pelo laboratório de patologia clínica. O mesmo ocorre com os sinais vitais monitorados e os medicamentos ministrados quando o enfermeiro confere o código de barras. A combinação desses dados ajuda a equipe da CMOA a prever as chances de agravamento do quadro clínico e potenciais efeitos indesejáveis dos tratamentos, dando suporte às equipes que lidam diretamente com o paciente. Isso é feito por meio de um sistema desenvolvido pelo hospital, que monitora 150 indicadores estabelecidos num longo processo de discussão com a equipe dessa central e profissionais da linha de frente. Cada um desses indicadores foi programado para emitir alertas ao atingir alguns gatilhos predefinidos – se uma medicação para controlar a dor atrasar mais de 45 minutos, por exemplo. A presença desses alertas nos grandes painéis da CMOA pode levar a equipe a acionar os profissionais que estão em contato direto com o doente. São 30 indicadores, do conjunto de 150, que permitem essas intervenções diretas. Pelos dados disponíveis, os maiores impactos dessa tecnologia foram observados em pacientes graves, internados no setor materno-infantil, no pronto atendimento, no centro cirúrgico, oncologia, hemoterapia e fisioterapia.

Várias outras soluções digitais se disseminam pelo setor de saúde no país, como as plataformas para tornar o aconselhamento médico, o diagnóstico e o monitoramento mais acessíveis. Elas oferecem serviços como laudar exames de imagem por internet ou sistemas de monitoramento do paciente a distância. Outras buscam melhorar a integração entre clínicas, laboratórios, hospitais e médicos, como uma plataforma destinada a facilitar a geração de relatórios de exames de ecocardiograma (ECG) e eletrocardiograma (EEG). Mais um exemplo bem-sucedido são as plataformas de prescrição eletrônica•, acessadas diariamente por milhares de médicos durante o atendimento em seus consultórios. Esses sistemas têm grande potencial para diminuir os erros de medicação (que causam milhares de mortes a cada ano) ao verificar se há interações medicamentosas perigosas entre drogas, alergias e outros erros.

Ritmos diferentes

De um ponto de vista mais abrangente, o tom otimista usado para falar dos avanços em pesquisa e das dimensões do mercado cede lugar à preocupação quanto ao ritmo dos avanços na digitalização da saúde no país. Vamos tomar como base a implantação do prontuário eletrônico, uma espécie de marco zero para dar início ao uso dos dados. Até agora, tanto no setor público quanto no privado, os prontuários foram colocados em prática por um número pequeno de instituições. Uma pesquisa da Associação Nacional dos Hospitais Privados (ANA-HP) com os seus associados, divulgada em 2018, revelou que 84% deles tinham prontuários eletrônicos implantados. Os dados mostraram também que 95% dos hospitais associados têm prescrição eletrônica implantada, 69% usam *business intelligence•*; 66% usam código de barra ou RFID e 85% têm sistemas de visualização de imagem em prontuário.

É importante lembrar que a ANAPH reúne uma centena de hospitais de primeira linha e que eles representam cerca de 10% dos leitos privados. Ao todo, existem 4.397 hospitais privados (*Cenário dos Hospitais no Brasil*, FBH, CNS, 2018), com as mais variadas dimensões, recursos e formas de gestão, cujas informações não são conhecidas. Tudo isso dificulta não só a avaliação do nível de digitalização dessas organizações, mas também a compreensão do impacto positivo que as ferramentas digitais podem trazer. O que se sabe, no entanto, é que poucos hospitais em solo nacional alcançaram um patamar elevado na implantação e uso dos novos recursos, segundo a Health Information and Management System Society (HIMSS). Fundada em 1961, a associação internacional possui um programa de certificação dividido em sete etapas de avaliação para saber se hospitais cumprem os processos e requisitos para evoluírem da fase *paperless* até o cruzamento inteligente de dados. No Brasil, em 2018, apenas 11 hospitais haviam sido certificados pela HIMSS como altamente digitalizados.

Na área pública, há dois campos distintos. Um deles congrega os centros de pesquisa e desenvolvimento de novas tecnologias e os fundos de financiamento voltados para a inovação. Nesse segmento, há muitos avanços e parcerias com a iniciativa privada. O outro é o SUS, o maior sistema de saúde pública do mundo, no qual a digitalização da saúde é alvo de sucessivos programas de implantação e também de atrasos na sua consolidação. Em 2017, o governo anunciou uma estratégia para digitalizar todas as Unidades Básicas de Saúde – UBS (a porta de entrada do sistema e onde são coletados os dados) até o final de 2018. No momento em que foi anunciado o projeto, os dados do Ministério da Saúde indicavam que o prontuário eletrônico do paciente estava implementado em 15.488 das 42.818 UBS contabilizadas pelo documento à época.

> A demora dos setores público e privado para implantar e ampliar a utilização do prontuário eletrônico prejudica a coleta de dados.

A possibilidade de digitalizar o sistema e capacitá-lo a inserir os dados dos seus pacientes criou grande expectativa, mas não havia se concretizado até o fechamento deste livro, em abril de 2019. Números de 2018 mostraram que a meta estabelecida não só não foi alcançada como os resultados ficaram muito aquém do esperado, com a digitalização de apenas 4 mil UBSs ao longo do ano. Isso significa que mais da metade das estruturas que promovem o acesso dos indivíduos à rede pública de saúde não tinha ainda condições de digitalizar os dados da população atendida. Diante da magnitude do SUS, e resguardadas todas as suas dificuldades, são avanços tímidos. Outra questão colocada é a necessidade de maior transparência sobre a introdução das novas tecnologias para que se possa conhecer as boas experiências no interior do sistema e auxiliar na sua disseminação.

A demora dos setores público e privado para implantar e ampliar a utilização do prontuário eletrônico produz um efeito em cadeia, como exemplifica o relatório *Future Health Index* 2018 (FHI – Índice do Futuro da Saúde). Patrocinado e lançado em 2016 pela empresa Royal Philips, o estudo apresenta um novo indicador, a medida de valor *(value measure)*, que avalia como o país enfrenta os desafios da adoção de inovações tecnológicas em larga escala no campo da saúde. Para chegar a essa conclusão, o índice considera três submétricas – acesso, satisfação (do usuário e dos profissionais da saúde) e eficiência. Em documento redigido para apresentar as conclusões sobre o Brasil, o FHI diz que um dos aspectos que prejudicou muito a média do país foi a sua baixa pontuação no item coleta de dados. Isso é consequência da falta de um registro eletrônico de saúde universal na região, como apontam os analistas. Os registros que existem em alguns hospitais, ambulatórios e outras estruturas não convergem.

O *score* brasileiro também foi brutalmente menor do que a média no quesito análise de dados. Novamente, uma sequela da ineficiência na coleta de dados, que se traduz na ausência de uma base organizada para a utilização global de IA no diagnóstico preliminar, no planejamento do tratamento e no impedimento de se produzir um algoritmo para cada vida, com suas possibilidades e recomendações. Mas houve mais algumas razões para a nota baixa brasileira. Uma das mais impactantes foi o descontentamento mostrado pelos próprios profissionais de saúde nas entrevistas realizadas para compor o índice. Eles se mostraram ainda mais desconfortáveis do que a população usuária, evidenciando uma grande falta de confiança nos serviços. É o acúmulo de percalços e expectativas, como falta de insumos e funcionários, somado a anos de poucos recursos para a saúde no país.

A digitalização da saúde pública

No que se refere à digitalização, se persistir o cenário atual, sem ações concretas para superar o atraso crônico, os gastos com o sistema deverão chegar a níveis insustentáveis para todos (ver mais no Capítulo 7). Por isso é necessário um plano de metas e investimentos para que seja efetivamente cumprida. É o que mostra a experiência da maioria das nações que se beneficiam efetivamente das informações fornecidas pela inteligência de dados. Nessa perspectiva, o distanciamento entre as esferas pública e privada é mais uma questão a ser discutida para viabilizar iniciativas em conjunto para avançar mais rapidamente. Quando uma maior integração acontece, todos ganham e se inaugura um universo de possibilidades. Um dos projetos mais fascinantes nesse sentido é a aplicação de recursos de IA aos dados de pacientes do SUS. O projeto reúne especialistas de *startups* participantes da incubadora Eretz.bio, do setor de *big data analytics•* do Hospital Israelita Albert Einstein e do Ministério da Saúde. Juntos, trabalham no desenvolvimento de algoritmos para atender às demandas do SUS em acessar a imensa massa de dados de milhões de brasileiros armazenada pela rede pública com a finalidade de transformá-la em informação útil para os profissionais da saúde.

O grupo atua em duas frentes. Uma delas é aumentar a curva de adoção das novas tecnologias disponíveis. Um dos caminhos para isso é criar mecanismos digitais para que um médico do Programa Saúde da Família, por exemplo, consiga acessar com maior facilidade e regularidade as ferramentas preditivas que informam as chances de agravos à saúde de um indivíduo que ele está visitando. Em outras palavras, significa oferecer caminhos mais empáticos para acessar a informação buscada, que deve ser entregue de forma compreensível. Outra frente de ação é criar e aprimorar uma plataforma de inovação aberta sobre o *big data analytics* no SUS com o intuito de aprimorar os algoritmos destinados a minerar dados no verdadeiro tesouro que é o Datasus, uma mina de informações essenciais para conhecer o presente, o passado e o futuro da saúde da população brasileira e, assim, melhorar a qualidade do atendimento e das políticas de saúde.

> Sem ações concretas para superar o atraso crônico na digitalização, os gastos com o sistema deverão chegar a níveis insustentáveis.

De modo mais amplo, porém, ainda prevalece no país uma separação rígida entre os dois campos, muito provavelmente fruto de uma certa ideologização do setor, ainda que elementos como a crise do financiamento e a própria transformação digital estejam redefinindo essas relações no mundo todo. É o que se pode constatar no Brasil, onde cada vez mais companhias procuram diretamente os provedores para cuidar da saúde corporativa, fazer ações de prevenção ou então gerenciar melhor as condições crônicas. Entre as pressões que determinaram esse movimento estão a baixa eficácia demonstrada pelas operadoras em diminuir a sinistralidade e os aumentos crescentes da receita para manter o benefício (que passaram de 5% ou 6% para 14% da folha de pagamento por conta do hiperuso).

Essas demandas abriram espaço para criação de produtos pelos hospitais. Entre eles estão as clínicas de atenção básica e os pacotes de serviços sem a intermediação das operadoras para atender, por exemplo, o corpo de colaboradores de uma instituição e seus dependentes. São locais pautados por tecnologia, com prontuários eletrônicos unificados, uso de IA, protocolos de atendimento, plantão médico 24 horas e teletriagem para orientar a jornada de quem procura atendimento. Em funcionamento em um dos grandes hospitais da cidade de São Paulo, em seis meses de atividade, o serviço proporcionou uma significativa diminuição das idas aos serviços de emergência e das taxas de conversão, termo usado para as situações em que o atendimento do paciente do pronto-socorro é convertido em internação.

A variação observada reforçou a percepção de que havia muita gente sendo atendida na rede credenciada que não precisava realmente ser internada ou ser submetida a exames o que implicou aumento do tempo de permanência e desconforto para o paciente e custos mais elevados para a fonte pagadora (as empresas).

As novas clínicas de atenção básica munidas de *big data* têm se multiplicado para gerir a saúde corporativa de grandes empresas, com excelentes resultados. Nesses casos, a parceria é tríplice: empresa, hospital e operadora de saúde para garantir a atenção secundária, ou seja, internações e exames mais complexos. As operadoras também estão montando as suas próprias centrais de atenção primária em virtude da assimetria da qualidade dos prestadores de serviços e também para evitar procedimentos desnecessários. Com custo baixo, essas clínicas também podem ser acessadas de forma privada, com a compra de pacotes de consultas, exames, monitoramento de atividade física, entre outros.

Os bons resultados dessas clínicas de atenção básica, comparáveis a uma UBS (célula essencial da rede pública) funcionando em plenas condições e com recursos de IA, reforçam a ideia de que, num futuro bem mais próximo do que se imagina, as plataformas com dados de pacientes da rede pública e suplementar precisarão convergir e conversar entre si. Esse é um requisito essencial para o Brasil, onde é comum que o paciente tome as vacinas na rede pública, faça o acompanhamento de alguma enfermidade na rede suplementar ou ainda seja internado pela rede suplementar e realize alguns exames mais complexos pelo SUS, quando não são cobertos pela operadora de saúde. Como se pode ver, a digitalização transcende essas fronteiras, mesmo que ainda não exista um modelo econômico de gestão do sistema de saúde que responda à essa realidade.

A expansão da telemedicina

A telemedicina e o conjunto de tecnologias relacionadas a ela estão inseridos no cotidiano da saúde brasileira de muitas maneiras e possuem grande potencial para se expandir. De modo informal, muitos médicos praticam a telemedicina há tempos ao esclarecerem dúvidas e prescreverem cuidados por meio de plataformas como WhatsApp, Messenger e Facetime, celular ou e-mail. Nesses dispositivos é grande o tráfego de imagens de problemas de pele, dúvidas sobre exames, orientações sobre como tomar os remédios ou como seguir o tratamento, dieta, exercícios. Essas atividades multiplicam-se sem regulamentação e sem garantia de proteção dos dados do paciente ou de que o atendimento será registrado nos prontuários, como ocorre nas consultas presenciais. Há, inclusive, especialistas que não consideram essas atividades como telemedicina por não transcorrerem em ambiente seguro.

> O telediagnóstico é uma das aplicações da telemedicina que mais avançam.

Oficialmente, hospitais e planos de saúde aderem cada vez mais aos serviços de teletriagem e teleorientação. A teletriagem é usada para orientar pessoas com sintomas em sua jornada pelo sistema. Dependendo da gravidade, elas são direcionadas a um pronto-socorro ou a marcar uma consulta, por exemplo. Outra modalidade que começa a ser explorada pelas operadoras é a teleorientação pediátrica para tirar dúvidas simples. Em casos de maior gravidade, um médico pode ser enviado ao domicílio ou a criança levada ao pronto-socorro.

Entre as múltiplas aplicações da telemedicina, uma das que mais avança é o telediagnóstico. Depois de uma etapa inicial de adoção de recursos de automação e plataformas para análise de exames de imagem e patologia e emissão de laudos a distância (sempre com o cuidado de submeter essas informações ao especialista), os laboratórios começam agora a agregar IA a esses processos. Isso amplia a capacidade para gerar dados e buscar nos bancos de dados as respostas para perguntas novas e complexas, como o significado de expressões gênicas.

Outro formato de serviços de telemedicina que tem contribuído bastante para a melhora do atendimento são os "pacotes" oferecidos por centros de referência para suprir necessidades de hospitais que carecem de algumas especialidades. Um desses pacotes oferece, por exemplo, todas as manhãs, visitas virtuais de médicos neurologistas e cardiologistas a pacientes internados em UTI de diversos hospitais. A visita é realizada em parceria com o médico generalista que, na maioria dos casos, leva um *tablet* ou um celular por meio do qual se conecta com a equipe de profissionais para discutir a condição dos pacientes e adotar as condutas necessárias. O resultado desse encontro melhora o prognóstico dos pacientes e pode salvar vidas. Foi o que aconteceu em um hospital na cidade de Floriano, (PI), onde o suporte dado por equipes de especialistas a distância proporcionou uma redução de 54% da mortalidade, o que é impressionante. Na cidade de Caruaru (PE), o pacote de serviços contratado disponibiliza o acesso remoto a médicos especialistas para discutir as condutas a serem adotadas, pois a cidade conta apenas com médicos generalistas.

Mas não é só por terra que a telemedicina reduz as distâncias para disseminar conhecimento e melhorar a qualidade do atendimento. Desde 2014, ela alcança também as plataformas de petróleo no meio do oceano, onde os trabalhadores podem realizar consultas e serem orientados sem a necessidade de desembarcarem. Essa modalidade de suporte é oferecida também por equipes de neonatologistas, dermatologistas, intensivistas.

As teleconsultas, aliás, são a forma de telemedicina com maior potencial de expansão, por vários motivos. Um deles é a empatia dos pacientes com o meio. Uma pesquisa feita com os usuários de um projeto piloto de triagem digital em unidade de pronto atendimento da rede suplementar em São Paulo identificou que mais da metade dos pacientes considerou o atendimento para triagem digital excelente, 90% sentiram segurança na conduta do médico e 72% acharam que suas queixas foram plenamente atendidas. Outro dado relevante a favor da potencial disseminação da medicina digital é a familiaridade dos brasileiros com mídias sociais, lembrando que o WhatsApp é usado por cerca de 62% da população para trocar desde memes e piadas e até resolver contratos envolvendo elevadas somas financeiras e disputar eleição presidencial.

No início de 2019, as teleconsultas foram liberadas, bem como os diagnósticos e as cirurgias a distância por uma Resolução do Conselho Federal de Medicina (CFM) que regulamentava esse e outros aspectos da telemedicina. No entanto, após uma reação muito negativa da categoria, com críticas e protestos em todo o país, o CFM revogou a Resolução e colocou o tema novamente em debate. Até a elaboração de um novo parecer, permanece válida a regulamentação anterior, de 2002, que libera apenas as videoconferências durante procedimentos para obter a opinião de colegas especialistas, sempre na presença de um médico ao lado do paciente.

Mais uma modalidade de telemedicina praticada no Brasil é a teleconferência cirúrgica, que promove o acompanhamento remoto de cirurgias e exames invasivos feitos por um especialista experiente para ajudar na tomada de decisões durante o procedimento. As telecirurgias, em que um médico pode operar a distância controlando as pinças de um robô cirurgião inseridas no organismo do paciente, exigem treinamento altamente especializado e equipamentos muito caros dos dois lados, o que dificulta sua realização.

Para melhorar a captura de dados para a prática da medicina a distância, novos dispositivos começam a surgir. Em geral, esses *kits* são compostos de câmera, otoscópio (usado para ver os ouvidos), termômetro, abaixador de língua e aparelhos modernos com encaixes para estetoscópio e otoscópio. Há também *patches* com sensores que podem ser colados na pele, na região do peito, para monitorar sinais vitais. Eles detectam, por exemplo, mudanças súbitas nos parâmetros de saúde. Outros recursos transmitem imagens de ultrassom captadas por médicos, paramédicos ou enfermeiros em casos de urgência, que podem ser enviadas diretamente para o *smartphone, tablet* ou computador do médico. Em relação aos exames, com a ajuda de aparelhos para capturar imagens e sensores colados ao corpo para obter dados, o médico terá acesso às informações do paciente. Depois, na hora de prescrever exames e remédios, é possível assinar digitalmente o documento e enviá-lo ao paciente, à farmácia ou a uma central de distribuição que poderá entregar o remédio na casa do paciente.

Obviamente, a telemedicina produz mudanças positivas, mas a sua adoção também implica a realização de investimentos. Para se fazer reuniões por videoconferência, existe um gasto inicial com infraestrutura e *softwares*. Nos Estados Unidos, alguns hospitais e clínicas particulares fecharam as portas quando o ex-presidente Barack Obama exigiu que houvesse a digitalização das informações. Há também uma curva ascendente dos médicos que deixam consultório particular e passam a ser empregados porque não conseguem custear o investimento em prontuários eletrônicos e estruturas para a prática da telemedicina, como a gravação de todos os atendimentos. Por outro ponto de vista, dados do Bureau of Labor Statistics, ligado ao governo norte-americano, mostram uma que-

AS DIVERSAS CONFIGURAÇÕES DA TELEMEDICINA

Teleconsulta informal
Muitos médicos fazem telemedicina ao tirarem dúvidas e prescreverem cuidados a pacientes com quem trocam mensagens de WhatsApp, Messenger e Facetime, ainda que sejam plataformas sem garantia de proteção dos dados do paciente ou de que o atendimento ficará registrado no prontuário.

Teleinterconsulta
Modelo de consulta digital em que dois ou mais médicos compartilham dados sobre um paciente para ajudar a estabelecer o diagnóstico e a conduta de tratamento. O paciente pode ou não estar presente.

Teletriagem
O paciente relata seus sintomas a um médico a distância, que avalia o quadro para direcionar o indivíduo à assistência adequada. Por exemplo, fazer repouso em casa, agendar consulta ou ir ao pronto-socorro. Se for um caso grave, o médico pode solicitar uma ambulância e atendimento em domicílio. Hospitais, médicos e operadoras estão investindo na implementação desse serviço.

Teleconsultas
Por meio de tecnologias digitais e plataformas com protocolos de segurança específicos, a teleconsulta promove o encontro entre o médico e o paciente que estão em diferentes espaços geográficos. No Brasil, a regulamentação em vigor até o fechamento deste livro, em abril de 2019, exige que o paciente esteja acompanhado por outro médico durante esse encontro virtual.

Teleorientação
Serviço que tira dúvidas simples sobre temas específicos e pode ajudar no encaminhamento dos pacientes em casos mais graves. Uma operadora oferece, por exemplo, a teleorientação pediátrica a pais de crianças de até 12 anos, com direito a videoconferências por aplicativo duas vezes por ano.

Telediagnóstico
Uso de plataformas para emissão de laudos ou pareceres sobre exames de imagens ou dados transmitidos pela internet. Pela regulamentação vigente, as conclusões precisam ser validadas por um especialista

Telemonitoramento
Permite que profissionais da saúde acompanhem a distância a evolução das condições de saúde de seus pacientes. O monitoramento pode envolver o uso de dispositivos para captura e transmissão de dados e exames.

Teleconferência cirúrgica
Por videotransmissão, permite que o cirurgião ou equipe de especialistas troquem dados e opiniões e acompanhem procedimentos cirúrgicos em locais distantes.

Telecirurgias
Situação em que o procedimento é realizado por braços mecânicos de robôs comandados remotamente pelo cirurgião. A regulamentação vigente exige a presença de profissional igualmente qualificado ao lado do paciente.

da de mais de 90% em 20 anos nos preços dos insumos necessários para se conectar e praticar a telemedicina, como computadores, tecnologia *wireless*, celulares e *softwares* em contraposição a aumentos de cerca de 250% em serviços hospitalares e de assistência médica, de 200% nas taxas de matrícula e mensalidades. Dados como esses endossam a visão da telemedicina como um recurso que deve tornar-se cada vez mais popular e acessível. Isso remete à necessidade de uma regulação que contemple as possibilidades que a telemedicina traz consigo de contribuir para a universalidade e a integralidade do sistema de saúde.

> Dados apontam uma queda de mais de 90% em 20 anos nos preços dos insumos para praticar a telemedicina.

Oferecida conforme os parâmetros de proteção dos dados do paciente, por profissionais capacitados, de acordo com parâmetros éticos e de modo sustentável, a telemedicina ganha relevância. Nesse contexto, é preciso disseminar o entendimento do seu papel inovador como um recurso capaz de promover qualidade em um meio marcado pela assimetria do conhecimento e da desigualdade no acesso. A telemedicina interessa a todos – aos pacientes, porque são mais bem atendidos; às operadoras, porque conseguem responder com mais eficiência à necessidade de separar alta e baixa complexidade no atendimento; aos gestores, porque conseguem oferecer alternativas menos onerosas na perspectiva da equidade; e, claro, aos médicos, por ampliar seu acesso aos dados e registros das melhores práticas em sua área como um suporte à tomada de decisão.

Capítulo 5

A FORMAÇÃO MÉDICA NA ERA DIGITAL

A FORMAÇÃO MÉDICA NA ERA DIGITAL

As transformações proporcionadas pela inteligência artificial (IA) só serão consolidadas se forem acompanhadas por profundas mudanças culturais. É assim com todas as mudanças que quebram paradigmas. Por essa razão, de nada adiantam os algoritmos e a interpretação do mundo feita pela tecnologia se os futuros médicos, gestores de saúde, pacientes e sociedade não entenderem que seus benefícios só serão efetivos se houver um pacto pela mudança. Isso significa alterar hábitos e vícios de pensamento em todas as áreas e adotar novos conceitos e comportamentos. A IA e seus resultados exigem uma nova forma de pensar e trabalhar.

Para funcionar adequadamente, a saúde necessita que cada engrenagem de sua cadeia esteja azeitada e sintonizada com a nova ordem de organização. Uma das peças mais importantes do sistema continua sendo o médico. No entanto, para exercer seu papel em um cenário completamente diferente daquele que conhecemos hoje, o médico do futuro precisa de outro tipo de treinamento. Ele deve incluir, obviamente, o aprendizado básico sobre anatomia e outras disciplinas. Mas é fundamental que desde os primeiros semestres do curso ele tenha contato com os princípios da IA e também com recursos tecnológicos – alguns disponíveis em qualquer lugar, outros ainda ofertados por poucos centros de saúde. Além disso, o profissional de saúde que deseja ser bem-sucedido tem a responsabilidade de olhar-se também como um gestor. O médico que se atém a apenas checar a agenda de consultas e a atender seus pacientes não tem mais lugar.

Todo início de ano, líderes empresariais, representantes de governos e intelectuais das mais diversas linhas de pensamento reúnem-se no Fórum Econômico Mundial, em Davos, na Suíça, para discutir perspectivas no mundo produtivo. No âmbito do trabalho, independentemente da profissão ou função exercida, acordou-se nesses encontros que o profissional do futuro deve apresentar capacidade para resolver problemas complexos, gerenciar pessoas, trabalhar em equipe, ter pensamento crítico, criatividade, habilidade de julgar, tomar decisões, negociar e, por fim, apresentar flexibilidade cognitiva. A respeito dessa última característica, entende-se o poder de absorver e unir conhecimentos de diversas áreas para melhor executar suas funções.

> Desde o início do curso de medicina o estudante deve aprender a lidar com os recursos da saúde digital, em especial, a IA.

É consenso entre os pensadores da nova medicina que as características descritas em Davos serão essenciais para que o médico saiba operar dentro de uma nova arquitetura de saúde, que exigirá dele uma visão do exercício da medicina na qual as ferramentas tecnológicas sejam usadas racionalmente, prevalecendo, sempre, o foco na necessidade do paciente. E a certeza de que daqui por diante a tendência é trabalhar em equipe, usando a interdisciplinaridade como alavanca para ampliar conhecimento e chegar mais rapidamente às soluções.

Importantes entidades médicas começam a promover as mudanças necessárias para que surja essa nova geração de médicos empreendedores e conscientes do papel que desempenham dentro da cadeia de saúde. No artigo *Just Imagine, New Paradigms for Medical Education*, publicado no jornal da Academia Norte-Americana de Medicina, os autores, todos da Cleveland Clinic – um dos mais respeitados serviços de saúde, assistência e pesquisa do mundo –, fizeram um diagnóstico preciso dos problemas e do que deve ser mudado na formação do novo médico. Basicamente, diante das necessidades emergentes, o modelo atual é considerado ineficiente, inflexível e comprometido pela falta de um aprendizado centrado no aluno. O ensino é focado em testes de performance em vez de analisar a capacidade de desenvolvimento de habilidades e de capacidades profissionais de cada estudante individualmente. De acordo com os estudiosos, também não há estímulo para aplicação de conhecimento e para a resolução de problemas. Portanto, concluem, a configuração atual das escolas médicas não oferece subsídios para que sejam formados médicos eficientes.

No entanto, modificações estão sendo gestadas nesse campo. O projeto de alterações curriculares para as faculdades norte-americanas empreendido pelo Conselho de Acreditação para as Escolas de Graduação Médica dos Estados Unidos (*The Accreditation Council for Graduate Medical Education Milestone Project*) propõe a mudança de um conceito de ensino baseado em tempo de horas/aula para outro baseado em competência. O objetivo é avaliar o quanto o estudante evolui em conhecimento, independentemente das horas de aula. Parte do modelo do ensino ideal inclui também a discussão sobre o aprendizado em conjunto com a formação de pequenos grupos de alunos para estudar, apresentar soluções de casos e fazer as suas exposições diretamente aos pacientes durante consultas em ambulatórios clínicos. Nessas ocasiões, deve ser avaliada, entre outras capacidades, a de socialização do aluno com o paciente.

A difusão das informações por meio digital mudou também o perfil do doente. Hoje muito mais informado, tem também maior poder de decisão sobre o que fazer em relação à sua saúde. O modelo vertical, no qual o médico ficava no extremo superior e o paciente, no inferior, acabou. A relação é cada vez mais horizontal, com ambos discutindo e compartilhando as responsabilidades pelas decisões, o que exige dos médicos mudança comportamental. Por isso a necessidade de desenvolver cada vez mais a capacidade de socialização.

No Brasil, as faculdades médicas, em sua maioria, estão longe de abraçar esse novo modelo. Por aqui, grande parte dos profissionais responsáveis pela formação médica ainda é guiada por um modo menos contemporâneo de pensar. Por isso, é comum ver, entre outros vícios, estudantes de medicina, recém-formados e aqueles já estabelecidos ficarem presos na armadilha da recorrência abusiva à tecnologia em detrimento do raciocínio clínico. No entanto, é sabido que muitos erros e desperdícios em clínicas e hospitais ocorrem por causa da incorporação e utilização equivocadas e exageradas de equipamentos e também porque o profissional não vê o paciente como o centro do cuidado.

Além disso, parcela importante dos profissionais da saúde não tem a compreensão do impacto negativo da indicação de exames desnecessários para a sustentabilidade do sistema e para o próprio paciente. Muito dessa situação é decorrente de uma mentalidade ainda preponderante de uma mecânica que remunera por serviço (exames aí incluídos) e não por desfecho (leia mais sobre a discussão da mudança de modelos de remuneração no Capítulo 7). Outro agente responsável pelos pedidos de exames dispensáveis é o próprio paciente. Muitos, ainda que de forma equivocada, não se conformam em sair de uma consulta sem um pedido de exame e buscam atendimento de outros especialistas até que um deles solicite uma lista de testes. Nesses casos, erram os médicos, que cedem aos pacientes, e estes que insistem em procedimentos sem necessidade. Como vários profissionais não se veem como parte do sistema de saúde, eles desconsideram que o uso do laboratório terá um custo que será repartido, recaindo sobre todos. Nesse contexto, não se pode deixar de comentar que a vinculação idealizada pelos pacientes entre o pedido de exames e a sensação de ter sido bem atendido é um sinal das diversas fragilidades que estão embutidas na relação médico-paciente.

> Parcela importante dos profissionais da saúde não tem a compreensão do impacto negativo da indicação de exames desnecessários.

É verdade que os diagnósticos são feitos de maneira mais rápida e precisa do que antes, mas o abuso em procurar as respostas na tecnologia pode levar também ao aumento de posturas intervencionistas que não agregam qualidade ou valor à vida das pessoas. Enfim, falta o discernimento de separar o que é valor do que é abuso, perdendo, assim, o foco no paciente e a capacidade de enxergá-lo como um todo. Nos Estados Unidos, esse entendimento está mais consolidado. Desde cedo, os alunos são expostos com maior frequência aos recursos tecnológicos, o que permite uma utilização mais crítica do arsenal de aparelhos disponíveis.

No Brasil, uma das escolas que buscam a formação de médicos preparados para conviver em um ambiente diferente do atual é a Faculdade Israelita de Ciências da Saúde Albert Einstein, em São Paulo. Nos eixos do modelo pedagógico, desde o início do curso, está contemplado o conhecimento de gestão de saúde e de sustentabilidade. Ao longo de todo o processo de aprendizagem, o aluno é estimulado a entender sua responsabilidade no sistema, deparando-se com os complexos problemas de administração de custos que qualquer instituição de saúde atravessa atualmente. Discussões sobre bioética, novas tecnologias e humanização também permeiam todo o curso. É o dia a dia diante do assunto e a prática da medicina pautada por esses valores que levarão o novo médico à mudança de pensamento e, consequentemente, do seu comportamento em relação à sua carreira. Ele sairá da escola de medicina com o entendimento de que o uso da tecnologia, *per si*, não agregará valor ao atendimento se não souber exatamente os dados ou resultados que espera obter com a sua aplicação. Esse questionamento ajuda a manter a saúde do paciente e a sustentabilidade da rede de assistência.

Além de incorporar esses conceitos com a ajuda de especialistas em gestão, o estudante frequenta, desde o início do curso, unidades básicas de saúde (UBS), nas quais tem o contato direto com os pacientes. Uma das vantagens de participar desse tipo de atendimento é que logo o aluno aprende que muitas doenças que atingem o povo brasileiro podem ser prevenidas por meio da mudança de hábitos e de controle adequado. Para isso, é preciso estabelecer uma boa relação com os pacientes e esforçar-se para que eles compreendam a necessidade de inserir no seu dia a dia alguns hábitos simples – o que não significa que sejam fáceis de adotar –, como caminhar o máximo possível ou comer mais fibras e menos salgadinhos. Assim, de forma direta, o médico consegue evitar que muita gente chegue aos hospitais por complicações que poderiam ser evitadas.

O profissional precisa entender que o objetivo é manter a saúde e não somente tratar doenças. Dessa forma, aprende-se com a vivência e não com o tecnicismo. Ensina-se o estudante a enxergar o que as máquinas não podem ver. Essa visão ampliada e mais atenta é algo cada vez mais valorizado, tanto que instituições de diversos países organizam, por exemplo, visitas de estudantes a museus. Por quê? Nessas horas, a meta é estimular no aluno o seu poder de concentração e de enxergar detalhes que somente o olhar humano é capaz de detectar.

A escola do hospital paulista também emprega o conceito do trabalho em equipe. Trocou-se a ideia do *problem based learning,* que privilegia a busca individual de solução, pelo *team based learning, que* envolve uma transformação de comportamento. Ensina aos estudantes como trabalhar em equipe. É uma quebra de paradigma para um profissional que originalmente sempre trabalhou isolado. Na prática, o treino em equipe mobiliza todos para que pensem sobre o tratamento ideal para determinada condição médica. Um aluno apresenta sua proposta e ela é debatida pelos colegas, sob a orientação de um mentor. Nessa discussão está embutido o debate sobre qual tecnologia usar, por que usá-la e de que maneira ela se justifica do ponto de vista individual ou coletivo. É uma maneira de fomentar a mentalidade de ter a tecnologia como recurso, não como um fim. Incentiva a construção do conhecimento e a tomada de decisões de maneira plural, contemplando diferentes visões. Com a emergência da IA e sua riqueza de dados, a capacidade de ouvir a opinião dos outros e de trabalhar em equipe se faz mais importante do que nunca. Sem isso, corre-se o risco de enxergar as informações apenas por um viés, sem extrair delas o melhor para os pacientes.

125

Capítulo 6

O PACIENTE NO CENTRO DE TUDO – O *TRIPLE AIM*

128

O PACIENTE NO CENTRO DE TUDO – O *TRIPLE AIM*

Comentamos neste livro que os custos da saúde são os que mais crescem entre os diferentes setores da economia. A chamada inflação médica registra taxas bem maiores do que a média da inflação, que mede a variação geral dos preços – e isso no mundo inteiro. Com o aumento da expectativa de vida, também um fenômeno mundial, e o consequente envelhecimento da população, a tendência é esses custos crescerem ainda mais. Como a conta não fecha, a questão da mudança está posta. Uma mudança radical e de qualidade, em busca de um sistema de saúde mais acessível, inteligente, humanizado e personalizado, com uma efetiva melhoria na qualidade do atendimento percebida pelos pacientes, nos resultados e na sustentabilidade do sistema de saúde. Parece difícil, mas é possível e as novas tecnologias digitais contribuem para que a mudança seja viável.

A qualidade do sistema de saúde começou a ser fortemente discutida na virada do século. Em 1999, o *Institute of Medicine (IOM)* de Washington, Estados

Unidos, publicou um relatório alarmante, *Errar é Humano: construindo um sistema de saúde mais seguro*, de Kohn LT, Corrigan JM, Donaldson MS, provocando uma grande discussão pública sobre a crise na segurança dos pacientes no sistema de saúde norte-americano.

Em 2001, num relatório ainda mais detalhado, *Cruzando o Abismo da Qualidade: um novo sistema de saúde para o século 21*, o IOM expôs de forma detalhada a diferença entre o que seriam os bons cuidados de saúde e aquilo que as pessoas realmente recebiam nos Estados Unidos. Para os pesquisadores, a distância entre o ideal e o real era um verdadeiro abismo e, para alcançar uma melhoria efetiva nos cuidados de saúde, todo o sistema teria de mudar. Os pesquisadores do IOM definiram seis objetivos, ou critérios de qualidade, para superar esse abismo, a começar pela segurança do paciente: ninguém deveria ser prejudicado pelos cuidados de saúde. Em segundo lugar, os cuidados de saúde deveriam ser eficazes, usando as técnicas e os recursos disponíveis na justa medida da necessidade. Em terceiro, os cuidados de saúde deveriam ser centrados no paciente – sua cultura, contexto social, necessidades específicas –, que deveria ter um papel ativo na tomada de decisões sobre seu próprio cuidado. Além disso, o atendimento deveria ser oportuno e eficiente, buscando constantemente reduzir o desperdício – e, portanto, o custo – de suprimentos, equipamentos, espaço e de tempo. Por fim, os tratamentos deveriam ser equitativos, sem discriminação de raça, etnia, gênero e renda.

O grande mérito desse debate foi pôr o paciente no centro do sistema pela primeira vez. Algo que parece óbvio, mas não é. Para muitos profissionais e instituições, o centro do sistema de saúde ainda é o médico. Até há pouco tempo a competição entre os hospitais era centrada em atrair mais médicos importantes, celebridades, com base em benefícios e confortos oferecidos. Esse modelo vem mudando. Nos grandes centros internacionais, essa guinada começou há uns 30 anos e, no Brasil, dez anos depois. Atualmente, em alguns hospitais, o paciente pode decidir se quer ser operado no sábado para se recuperar no fim de semana e poder voltar ao trabalho na segunda-feira. Se o modelo não fosse centrado no paciente, mas no médico e em seu conforto, dificilmente as cirurgias eletivas seriam marcadas no sábado.

Outro mérito do debate lançado pelo relatório do IOM foi mostrar que qualidade em saúde se traduz em cuidados adequados e, em última instância, em mortes evitáveis. No entanto, as questões de qualidade tal como estavam postas não faziam frente nem respondiam aos custos crescentes na saúde. Depois disso surgiram dois conceitos estruturantes para o sistema de saúde que se propõem a solucionar o desafio da equação cuidados médicos *versus* custos crescentes. Ambos são originários dos Estados Unidos e, embora tenham em comum a ideia de cuidados baseados em valores, são essencialmente diferentes (*Essenburgh Research & Consultancy*). O primeiro deles ganhou corpo em 2006 com a publicação do livro *Repensando a saúde, estratégias para melhorar a qualidade e reduzir os custos*, de Michael Porter, professor da Harvard Business School, e de Elizabeth Olmsted Teisberg, professora da Dartmouth´s Geisel School of Medicine, ambas nos Estados Unidos. O livro apresenta o conceito de cuidados de saúde baseados em valores (*value based healthcare* – VBHC). Seu objetivo seria obter o melhor resultado para o paciente ao menor custo possível. Porter, um especialista em gestão, indica que o caminho da saúde

> Para muitos profissionais e instituições, o centro do sistema de saúde ainda é o médico e não o paciente.

de um paciente deve ser visto como o ponto de partida para determinar o valor agregado das diferentes disciplinas. A redução de custos viria da busca de eficiência no atendimento e na competição entre diferentes provedores pelo melhor custo para cada doença.

O segundo conceito, a abordagem *triple aim* (3AIM – tripla meta), foi elaborado em 2008 pelo dr. Donald Berwick, liderança do Institute for Healthcare Improvement, em Cambridge (EUA), organização dedicada a promover a qualidade e a segurança em saúde, e que influencia a gestão de organizações do setor em todo o mundo. De acordo com essa abordagem, o equilíbrio do sistema de saúde está atrelado à busca simultânea de três objetivos: melhorar a experiência do paciente com o cuidado, o que envolve também a qualidade e a segurança, promover a saúde das populações e reduzir os desperdícios, chegando ao custo adequado. Uma das grandes diferenças entre esses dois conceitos é a de que a gestão de saúde baseada no *triple aim* se propõe a tratar de populações, ou subpopulações. Esse conceito pode ser aplicado a grupos específicos, idosos, pacientes com doenças crônicas, crianças, adolescentes etc., de acordo com sua condição clínica.

A proposta é focada na promoção da saúde, e não na doença, e os cuidados de saúde são organizados em uma rede de prevenção e acompanhamento. Outra diferença é que, para o 3AIM, tão importante quanto medir a saúde é medir a percepção da qualidade do atendimento pelos pacientes. A boa experiência do paciente passa ser um objetivo a ser perseguido pelo sistema de saúde.

Posteriormente, inspirados nesse conceito foram realizados estudos mostrando que a experiência do paciente (algo que até então não era considerado tão importante) estava diretamente ligada à adesão aos tratamentos e à sua melhor recuperação. Além disso, em vez de competirem pelos melhores resultados com menores custos, os integrantes da cadeia de saúde, os chamados *stakeholders*, deveriam praticar uma colaboração coordenada para alcançar o melhor resultado em termos de qualidade, saúde e custos, reduzindo e até eliminando desperdícios. Essa abordagem do 3AIM, baseada na experiência do paciente e em populações, é antes de tudo uma estratégia de liderança, pois exige uma agenda conjunta e muito empreendedorismo dos provedores de saúde, ou seja, muito trabalho.

Os recursos estão disponíveis

Nada disso pode ser feito sem muita tecnologia. Trabalhando com grandes bancos de dados e recursos com o *analytics*, é possível traçar o perfil básico dos diferentes segmentos que compõem a população atendida e desenhar programas de acompanhamento de acordo esses diversos perfis – idosos com alto risco car-

O QUE É O *TRIPLE AIM*	
Objetivos	**Foco**
Melhorar a experiência do paciente com o cuidado	Promover a saúde e não a doença.
Melhorar a saúde das populações	Organizar os cuidados de saúde em rede de prevenção e acompanhamento.
Garantir a sustentabilidade do sistema de saúde pela redução dos desperdícios, chegando ao custo adequado	Medição da percepção da qualidade do atendimento pelos pacientes é tão importante quanto a medir a melhoria da saúde.

diovascular, por exemplo –, definindo uma estratégia para entregar os cuidados que os integrantes de cada grupo precisam. O prontuário eletrônico médico, e mais ainda, o prontuário único, instrumentalizaria as equipes de saúde no atendimento individualizado. Como o prontuário eletrônico pode reunir informações muito peculiares, tanto objetivas e técnicas quanto subjetivas, é um recurso para customizar o atendimento, contribuindo para a boa experiência do paciente.

Trabalhando com esses pressupostos, é possível implementar modelos e medir seu desempenho e eficiência. Um exemplo é uma das ações adotadas por uma operadora de saúde para aumentar a eficiência de seu sistema de atendimento. Usando o *analytics* para avaliar a frequência com que os pacientes utilizam os recursos do sistema de saúde, concluiu que apenas entre 10% e 20% o usavam de forma adequada ao seu risco clínico – 80% ou mais sub ou superutilizavam o sistema. Entre os pacientes considerados saudáveis, 47% usavam o sistema acima do necessário e 42%, abaixo, o que não difere muito dos pacientes com doenças crônicas complexas, dos quais 45% utilizam o sistema acima do esperado e 41% abaixo.

É importante registrar que tanto o uso exagerado quanto o insuficiente não são convenientes. A primeira situação desperdício de recursos humanos e materiais e indica que o paciente não está bem atendido nem satisfeito, pois volta ao sistema. A segunda, pode esconder uma bomba-relógio: um paciente que não se cuida adequadamente e que pode ter um problema sério a qualquer momento, correndo risco de vida e sobrecarregando os serviços médicos, com altos custos materiais e humanos.

A introdução das novas tecnologias digitais age nos três pilares inerentes a esse processo: melhora a experiência do paciente, o desfecho do tratamento e o resultado financeiro (aumentando a eficiência na aplicação dos recursos materiais e humanos e reduzindo desperdícios). O melhor exemplo é a introdução do prontuário eletrônico num hospital, como ocorreu no Hospital Israelita Albert Einstein, em São Paulo, que aproveitou a oportunidade para rever todos os seus processos internos. A instituição mantinha um estudo do fluxo do paciente, com mapeamento dos *gaps*, mas era preciso coletar dados manualmente de fontes diversas. A partir da implantação do prontuário eletrônico, em janeiro de 2016, com o histórico e os dados clínicos de cada paciente em tempo real e a visão do conjunto dos pacientes, bem como de banco de dados com evidências médicas coletadas em milhões de casos, foi possível aprofundar o conhecimento sobre o perfil de cada paciente e de sua condição de saúde, com novas possibilidades de aprimoramentos de sua jornada e de desfecho no seu tratamento. Ganhou-se agilidade. Antes, ao ser internado, o paciente ficava esperando quase duas horas no processo de admissão. Hoje em 27 minutos está no quarto. Com um pré-cadastro, a pessoa pode fazer *check-in* em casa e, na chegada ao hospital, quando é identificada e passa pela catraca de entrada, um profissional a leva diretamente para o quarto, onde estão disponíveis os papéis que precisam ser assinados.

Ganhou-se também no melhor aproveitamento dos recursos disponíveis. Desde o início do Programa Fluxo do Paciente, em 2011, o tempo médio de permanência dos pacientes no hospital foi reduzido em 20%, propiciando a geração de 147 leitos virtuais. Ganharam os pacientes – os índices de segurança e satisfação só melhoraram – e ganhou a instituição, que ampliou sua capacidade de atendimento sem investimento em construções físicas. A digitalização do atendimento também permitiu que os tempos das diferentes etapas de tratamento fossem reduzidos, incluindo o pós-operatório e a recuperação.

A disponibilidade de dados também permitiu que novas frentes fossem trabalhadas, como a de readmissão – quando o doente que ficou internado é readmitido no hospital em menos de 30 dias após a alta. Com base em evidências acumuladas pelo *Big data*, percebeu-se que esses pacientes têm algumas características em comum. Quando elas são identificadas desde a internação, como tendência a infecções, as equipes médicas podem se antecipar e trabalhar essas questões no acompanhamento do paciente após a alta. Para isso, foi implantado um projeto de visita virtual à casa do paciente por meio de um aplicativo no *smartphone* ou *tablet*. O mesmo enfermeiro que cuidou desse doente durante a internação faz pelo menos duas visitas virtuais para verificar os cuidados que está recebendo em casa, se a medicação está sendo usada corretamente e se os demais cuidados foram bem entendidos. Como o contato é por imagem, pode-se examinar a pessoa, seus curativos e posicionamento de sondas, por exemplo. Assim, o paciente pode estar em qualquer cidade do Brasil ou do mundo, mas a continuidade do cuidado, um dos pontos mais críticos, é garantida.

Sustentabilidade financeira do sistema e modelo de pagamento

O terceiro tripé da abordagem *triple aim*, viabilizado pela digitalização da medicina, é a sustentabilidade do sistema de saúde. O uso da IA, *big data, analytics* e dos prontuários eletrônicos únicos permite uma nova racionalidade ao sistema, com a eliminação do desperdício de recursos. No entanto, uma revolução não é completa se não mudar todas as peças fundamentais de sustentação do modelo em substituição. E aqui, para dar um salto na qualidade do atendimento ao paciente – o objetivo final disso tudo –, é preciso colocar em prática um novo modelo de pagamento que evite esse desperdício, aumente a racionalidade e assegure a sustentabilidade de todo o sistema.

Como essa é uma questão que afeta o sistema de saúde em todo o mundo, é instrutivo analisar a evolução dos gastos de saúde nos Estados Unidos nas últimas décadas. Nos anos 1970, os gastos do setor somaram US$ 74,6 bilhões, no ano 2000 chegaram a US$ 1,4 trilhão e, em 2017, alcançaram US$ 3,5 trilhões. Esses números incluem gastos com administração, pesquisa, fundos públicos e privados. Outra maneira de examinar as tendências de gastos é observar que parcela da economia é dedicada à saúde. Em 1970, os gastos de saúde nos Estados Unidos representaram 6,9% de seu PIB. Em 2017, chegaram a 17,9%.

No Brasil, as coisas não são muito diferentes. Em 2016, a inflação médica chegou a 19,4% ao ano, enquanto a inflação para o conjunto da economia, medida pelo IPCA (Índice Nacional de Preços ao Consumidor), foi de 6,3%. De lá para cá a inflação da economia brasileira reduziu seus índices, o que não se pode dizer dos custos médicos. Todos os integrantes da cadeia de assistência encontram-se asfixiados por custos com os quais não conseguem arcar, incluindo o próprio cliente. De 2014 a 2017, o sistema de saúde suplementar perdeu mais de 3 milhões de usuários simplesmente porque eles não podiam pagar. Do outro lado, as operadoras queixam-se de custos cada vez mais altos, assim como hospitais públicos e privados lutam para reduzir gastos. Nos públicos, aliás, o cenário é desesperador, com instituições funcionando na mais absoluta precariedade.

A solução, no entanto, não está num corte generalizado de custos. Normalmente, os programas para conter despesas centram-se nos cortes de serviços, benefícios e nos níveis de pagamento – ou seja, cortes que atingem o cuidado prestado. Em artigo de grande impacto publicado no *JAMA* (o respeitado Jornal da Associação Médica Norte-Americana), em abril de 2012, Donald Berwick, o mesmo cientista do Institute for Healthcare Improvement à frente da abordagem *triple aim*, e seu colega Andrew Hackbarth apontam outra saída: o corte nos desperdícios realizados no sistema. Eles calculam que, considerando seis categorias principais – excessos no uso do sistema e nos tratamentos, falhas na coordenação dos cuidados e na execução dos processos de atendimento, complexidade administrativa, sobrepreços e fraudes –, as estimativas disponíveis mais baixas excedem 20% do total de gastos com saúde. O total real pode ser muito maior. A economia potencialmente alcançável numa busca sistemática, abrangente e cooperativa para acabar ou ao menos reduzir o desperdício incidente sobre a inflação médica, seria bem maior do que a obtida por cortes mais diretos nos cuidados e na cobertura.

A digitalização da saúde fornece as ferramentas necessárias para essa busca. Medir, analisar, relatar e comparar os resultados rigorosamente talvez sejam os passos mais importantes para fazer boas escolhas sobre a redução de gastos. Mensurar os custos totais durante todo o ciclo de cuidados de um paciente e compará-los com a evidências acumuladas nos bancos de dados pode permitir uma redução de custo verdadeiramente estrutural, por meio de realocação de gastos entre tipos de serviço, eliminação de serviços que não agregam valor, melhor uso dos recursos disponíveis, redução do tempo do fluxo do paciente dentro das instituições, customização dos serviços, entre tantas outras opções.

A digitalização tem outra grande vantagem: a transparência do sistema. O prontuário eletrônico único, por exemplo, com o registro de todos os procedimentos realizados em cada paciente, dispensa trabalhosas auditorias nas contas médicas para checar inconsistências nos procedimentos, exames, medicamentos de cada paciente. O grande entrave para que isso aconteça é a forma de pagamento dos serviços médicos. Até hoje, no Brasil e na maior parte do mundo, o modelo de pagamento vigente é o *fee for service*. Ou seja, o pagador reembolsa o prestador de cuidado por trabalho feito. Consultas, exames, internações, cirurgias, implantação de dispositivos, como próteses, são pagos separadamente de acordo com o preço de cada um.

Trata-se de um modelo perverso, que remunera a doença e não a saúde. Quanto mais doenças e complicações, mais ganha o prestador. Nessa conta não entram nem o desfecho dos casos e muito menos a satisfação do paciente. O *fee for service* cristalizou uma mentalidade na qual quem oferece o serviço – e está interessado somente em vendê-lo – não tem noção de que integra uma engrenagem na qual todos devem fazer sua parte para que o mecanismo de financiamento da saúde não entre em colapso. Com a disponibilidade dos aparelhos de exames de imagem, por exemplo, é comum que o paciente saia do consultório sem ter sido submetido a um bom exame clínico, mas certamente terá em mãos uma lista de testes a fazer, incluindo algum de imagem. Não é à toa, por exemplo, que o Brasil é o campeão mundial de realização de ressonância magnética entre usuários de plano de saúde. Segundo a Agência Nacional de Saúde Suplementar (ANS), são feitos no país 132 exames do gênero entre cada mil usuários. Nos Estados Unidos, o índice é de 117 por mil e, na Alemanha, de 22 por mil.

O uso indiscriminado de tecnologias caras tornou-se uma praga do sistema brasileiro, contribuindo em grande parte para sua falência. Serve como escudo para médicos, que preferem a segurança das imagens à conclusão diagnóstica que tirariam sem a ajuda delas, e como alicerce de segurança para os pacientes, que passaram a confiar mais nos exames do que nos médicos. Sem falar da abertura de portas para fraudes nas quais prestadores de serviço ganham "adicionais" cada vez que indicam laboratórios ou a implantação de produtos determinados, como próteses desnecessárias. Levantamento realizado pelo Instituto de Estudos da Saúde Suplementar (IESS) e a consultoria PwC Brasil estimou que as fraudes na saúde privada somaram R$ 20 bilhões em 2016, o equivalente a 15% das despesas assistenciais – R$ 11 bilhões com hospitais e R$ 9 bilhões em exames.

No tradicional modelo de pagamento por serviço, os provedores são pagos pela quantidade de procedimentos que realizam. Com isso, prestadores são estimulados a pedir mais exames e procedimentos, além de serem recompensados diretamente com o volume de atendimento, uma vez que a experiência do paciente não é levada em consideração.

Pagamento por desfecho

A crescente inflação médica obrigou a busca de saídas em todo o mundo. O livro *Redefining Health Care: Creating a value-based competition on results*, de Michael Porter e Elizabeth Olmsted Teisberg, mencionado anteriormente, apresentou uma nova forma de pensar e de pagar pela saúde: o modelo de pagamento por desfecho e não mais por serviço. Os cuidados baseados em valor surgiram como uma alternativa para substituir o modelo baseado em serviços, que leva em conta a qualidade, e não a quantidade. Esse modelo embute um conceito simples: baseado em evidências médicas obtidas a partir dos diversos perfis de pacientes, traça-se um plano de tratamento para o qual se sabe o desfecho a esperar. Isso graças ao cruzamento de milhares de dados capaz de apresentar a resposta esperada para aquela população. E paga-se pelo desfecho, uma forma de criar valor e pagar por ele.

De acordo com o Instituto Coalizão Saúde, o modelo de pagamento por valor pode ser assim definido: equilíbrio entre a percepção do cidadão quanto à experiência assistencial; prevenção e tratamentos apropriados que proporcionem desfechos clínicos de alta qualidade e custos adequados em todo o ciclo de cuidado, permitindo a sustentabilidade do sistema de saúde. Em seu livro, Porter e Teisberg apontam os fatores que devem ser considerados na formulação do valor. O primeiro deles é que o foco deve ser o valor que o atendimento terá para o paciente, não apenas para a redução de custos. Este é um ponto de inflexão importante. No modelo *fee for service*, o foco é o médico, o prestador de serviço. A remuneração por valor muda completamente essa relação.

Tomemos um exemplo: a terapia hormonal, indicada para o tratamento de determinado tumor, poderia ser feita por meio de comprimidos tomados em casa ou no consultório por meio da droga injetada. Fazer na sua própria casa é mais confortável para o paciente, mas o médico não ganha nada com isso. Qual seria o estímulo do médico para receitar este e não o outro jeito de administração, a não ser um sentimento humanitário? Diante de situações como essa, criou-se um modelo de remuneração para o médico pelo qual ele receberia um percentual pelo tratamento, independentemente do tipo prescrito. Ganhou o profissional e, mais ainda, o paciente, que teve sua experiência e conforto considerados na decisão sobre o tipo de tratamento optar.

Na época do lançamento dessa proposta, em 2006, as condições para a adoção plena do novo modelo eram bem mais difíceis. A evolução tecnológica não havia atingido o nível atual. Havia poucos recursos capazes de analisar dados em grande volume, até porque, naquela época, nem mesmo as informações eram armazenadas como hoje. O papel da IA foi e é fundamental para que o modelo seja alimentado com os dados precisos que resultarão nos desfechos e valores apropriados para cada perfil de paciente. Sem uma base de informações rica e permanentemente atualizada, como calcular o que se pode esperar e quanto vale o tratamento de determinado tipo de paciente com doença cardiovascular, por exemplo? É importante que as informações sejam analisadas em profundidade e que, ao mesmo tempo, a privacidade do paciente seja assegurada (leia mais sobre o tema no Capítulo 7). Trata-se de um desafio, especialmente no Brasil, onde historicamente o armazenamento de dados sempre deixou a desejar.

Sem um bom sistema que use dados íntegros, precisos e que estejam sob regras estritas de privacidade, será difícil implantar o modelo de pagamento por valor. Todos os integrantes da cadeia de saúde precisarão garantir transparência e compartilhamento dos dados e expor fraudes, quando acontecerem, para que a conta final não tenha distorções e não leve à perda de credibilidade do método. Além de garantir mais rapidez ao processo, a tecnologia contribuirá para a redução de redundâncias em um ambiente de compartilhamento de informações.

Por essas razões, é impossível pensar em mudança de tipo de remuneração sem o planejamento de uma infraestrutura tecnológica adequada para modelos de pagamentos baseado em valor. Ele exige a obtenção e análise de dados do paciente, perfil da população, métricas de desfecho e cruzamento de informações clínicas e de custos, como as disponíveis em diferentes sistemas de informações. Esta integração (interoperabilidade) é imprescindível. Dessa maneira, é preciso seguir passos como a adaptação e o aprimoramento dos sistemas de tecnologia de informação, discutir a possibilidade de dividir os custos entre pagadores e prestadores para a melhoria da interoperabilidade dos sistemas e disseminar a adoção dos prontuários eletrônicos.

Um dos desafios para a implementação do modelo é mudar a cultura dos profissionais de saúde. É difícil explicar ao médico que a partir de agora ele será remunerado de outra forma. A primeira reação, em geral, é de suspeita de que será prejudicado. Por isso, a relação entre pagadores e profissionais necessita de maior transparência e de confiança.

Capítulo 7
ÉTICA E SEGURANÇA DE DADOS

ÉTICA E SEGURANÇA DE DADOS

A chegada da inteligência artificial (IA) na saúde despertou questões éticas e legais sobre as quais nunca havia se pensado. Quem é o dono dos dados coletados? O paciente, o médico, o prestador de serviço? Quando termina a privacidade e começa o direito ao uso de informações sobre indivíduos? Como assegurar que os algoritmos não sejam criados de acordo com bases que resultarão em conclusões enviesadas? De que maneira fica a relação entre o médico e o paciente quando entre eles há um diagnóstico ou uma proposta de tratamento apresentada por um *software*? Essas são apenas algumas das perguntas que estão na mente dos estudiosos desde que os sistemas inteligentes começaram a se multiplicar na prática médica. Em janeiro de 2018, durante o Fórum Econômico Mundial, em Davos, o historiador israelense Noah Yuval Harari, o celebrado autor dos *bestsellers Sapiens: Uma Breve História da Humanidade* e *Homo Deus: Uma Breve História do Amanhã*, indagou: "As informações sobre meu DNA, meu corpo e minha vida pertencem a mim, a uma corporação, a um governo ou ao coletivo humano?."

O surgimento de novas tecnologias sempre impulsiona discussões éticas. Na área médica, especialmente, elas costumam ser intensas porque envolvem a discussão sobre o valor da vida de acordo com óticas diferentes, muitas vezes balizadas segundo posições filosóficas ou religiosas muito bem estabelecidas. Em 1978, quando o mundo conheceu a primeira criança nascida do processo de fertilização *in vitro* (união do espermatozoide com o óvulo feita em laboratório), que ficou conhecido como o bebê de proveta, debates acirrados foram feitos sobre a ética de criar embriões artificialmente. Décadas depois, quando surgiu a possibilidade de utilizar células-tronco extraídas de embriões descartados para produzir tecidos de partes diferentes do corpo, outra polêmica se formou. Atualmente, técnicas de edição genética, como a *Clustered Regularly Interspaced Short Palindromic Repeats* (CRISPR), que permite retirar genes defeituosos da cadeia de DNA, e o avanço da IA estão entre os temas mais discutidos. Instituições de renome, como a Stanford University e a Harvard University, nos Estados Unidos, e o Imperial College of London, na Inglaterra, criaram comissões para analisar a aplicação dos sistemas de inteligência sob o ponto de vista ético.

Muitos dilemas estão em debate. Um dos primeiros diz respeito à dificuldade de atribuir valor ou um número a sensações humanas, como a dor, com base em critérios como custos e expectativa de resultado. Como conjugar em um mesmo algoritmo circunstâncias tão distintas? De que forma assegurar que o modelo adotado não privilegie a redução de custos ou leve em consideração a condição financeira do paciente para arcar com o tratamento? Robôs são robôs. Não possuem habilidades humanas, como a de apresentar empatia diante da dor. Além disso, é muito difícil para o paciente entender a lógica de uma máquina – o chamado dilema da caixa preta – e aceitar um diagnóstico ou tratamento indicado pelos sistemas. Em um artigo escrito por estudiosos do Stanford Center for Bioethical Medicals, defende-se que os médicos aprendam como funcionam os vários sistemas de IA, principalmente o que estão usando para saber quais os critérios selecionados para a formulação dos algoritmos. Os especialistas defendem ainda que os profissionais de saúde devem entender a IA – este terceiro elemento na relação entre médicos e pacientes – como algo complementar ao exercício diário da medicina, não prescindindo de usar seus próprios valores e informações que possuem a respeito da história do paciente. Também se pergunta de quem é a responsabilidade em casos nos quais a máquina aponta uma conclusão errada. Do médico, do provedor do serviço ou do desenvolvedor?

Não há respostas definitivas a nenhuma dessas questões. Uma delas, proposta pelos próprios profissionais, diz respeito ao lugar que passam a ter em meio à revolução digital. Que papel caberá ao médico em um mundo de máquinas? Em

2015, a Sociedade Norte-Americana de Anestesiologia promoveu uma campanha contra a aprovação, pela FDA, a agência responsável pela liberação de remédios e tratamentos nos Estados Unidos, de um sistema desenvolvido pela Johnson & Johnson. Chamado de *Sedasys*, ele mostrou-se capaz de anestesiar pacientes por cerca de US$ 200, contra os US$ 2 mil cobrados por um anestesiologista – uma das especialidades mais bem pagas naquele país. Afinal, o que deve fazer um provedor de saúde nesses casos? O principal argumento dos especialistas foi o de que a máquina jamais superaria suas habilidades no manejo das medicações e, principalmente, nos casos de imprevistos. Um ano depois, a Johnson & Johnson suspendeu as vendas do produto, porque não havia alcançado as metas esperadas de lucro.

Outro conjunto de questionamento consiste na busca de soluções inteligentes para garantir a proteção dos dados. As respostas a esta discussão, assim como àquelas de ordem moral, são urgentes. Transações no mercado negro envolvendo informações de saúde hoje rendem dez vezes mais do que as obtidas de cartões de crédito. Enquanto as primeiras podem ser vendidas por US$ 40, ou US$ 50, as do cartão de crédito são repassadas por US$ 4 ou US$ 5. Não é por outra razão que o segmento de IA em saúde tornou-se rapidamente um dos primeiros da lista dos mais atacados por *hackers* no mundo todo. As informações obtidas com a invasão dos sistemas médicos são uma mercadoria valiosa porque tornam possíveis o roubo das identidades das vítimas, de seus *e-mails*, possibilitando, aí sim, a obtenção de dados financeiros de quem foi roubado. Além disso, os dados facilitam a produção de fraudes contra seguradoras, invocando sinistros de saúde que não existem.

> As informações obtidas com a invasão dos sistemas médicos são uma mercadoria valiosa.

Em janeiro de 2015, a Anthem, uma das maiores companhias seguradora dos Estados Unidos, sofreu um ataque histórico: 78,8 milhões de clientes tiveram seus registros devassados pelo invasor. Dois anos depois, concordou em pagar cerca de US$ 115 milhões para concluir os processos que sofreu por parte de segurados que se sentiram prejudicados. Entre os dados roubados, estavam números do Seguro Social – equivale ao RG brasileiro –, endereços, endereços virtuais e dados sobre renda e emprego. Nos Estados Unidos, segundo dados do Office for Civil Rights, no mesmo ano em que a Anthem sofreu a invasão, mais de

113 milhões de registros médicos foram acessados ilegalmente. Se cada caso representasse um indivíduo, significaria que um em cada três norte-americanos teria sido vítima do crime.

O caso Anthem foi didático e exemplar, mas não o suficiente para acelerar o aprimoramento dos sistemas de segurança. Hoje, diversas brechas para invasão podem ser detectadas em setores diferentes da esfera hospitalar ou doméstica. É possível haver infiltração no esquema de administração de remédios, ter acesso ao tipo sanguíneo dos pacientes e seu histórico médico, por exemplo. São vulnerabilidades como o armazenamento errado de dados ou respostas a *e-mails* falsos. O setor de segurança dos dados de saúde responde de maneira ainda lenta aos ataques. Atualmente, as empresas investem apenas 3% na melhoria dos sistemas de proteção, quando o recomendado é despender em torno de 10% na área (percentuais veiculados em apresentações feitas durante encontro para discutir os desafios e as oportunidades no uso de dados, em outubro de 2018, em evento do Instituto Coalizão Saúde em parceria com a Optum, empresa norte-americana de tecnologia em saúde, em São Paulo). Parecem se esquecer que um único ataque pode atingir todo o sistema.

No Brasil, o tema do roubo e uso de dados sem permissão ganhou relevância nos últimos anos, levando à promulgação de uma legislação nacional específica, em agosto de 2018 (Lei 13.709). Alguns fatores foram determinantes para que isso ocorresse. Primeiro, o debate sobre segurança de dados foi aquecido pelo crescimento de opções de aplicativos e outros dispositivos, muitos deles médicos, ao mesmo tempo que as denúncias de vazamentos de dados também aumentavam.

> O tema do roubo e uso de dados sem permissão ganhou relevância nos últimos anos, levando à promulgação de uma legislação nacional específica.

Foi péssima, por exemplo, a repercussão do escândalo da Cambridge Analytica – excluída do Facebook sob a acusação de ter violado as informações de cerca de 50 milhões de usuários da rede social. No Brasil, sistemas de saúde sofreram agressões virtuais, assustando os pacientes. Um deles ocorreu no Hospital do Amor, em Barretos (antigo Hospital do Câncer), em junho de 2017. Vários procedimentos médicos tiveram de ser suspensos após a invasão do sistema por um vírus. Em troca, os *hackers* exigiram um resgate de US$ 300 em bitcoins (moeda virtual) por máquina. Foram atingidos ao menos mil computadores. Não houve informação sobre o pagamento e o hospital assegurou que nenhum dado de paciente foi acessado.

Um estudo feito no Brasil em abril de 2018 com mil participantes pelas consultorias MindMiners e Unimark Longo revelou parte do que pensa o brasileiro sobre o tema. As principais descobertas: a maioria das pessoas tem algum tipo de preocupação com seus dados disponíveis na internet; enxergam as informações como bens de valor sobre os quais as empresas ganham dinheiro; mais da metade não se importaria em dividir os dados se eles fossem usados para beneficiar outras pessoas; um terço não confia nos sistemas de proteção e planeja parar de usar aplicativos e outros dispositivos; a maioria sente-se desconfortável em compartilhar informações bancárias e sobre moradia/localização e, ao mesmo tempo, enxerga a IA como uma opção barata e eficiente em alguns tipos de trabalho. A maior parte não confia em regulamentações de proteção de dados.

Além da percepção da população, contribuiu para a criação de uma lei nacional o fato de que a regulamentação europeia, aprovada em maio de 2018, tem aplicação além dos países da União Europeia, inclusive no Brasil, e era preciso ter algo que considerasse a realidade brasileira. Além disso, o país luta por uma vaga na Organização para a Cooperação e Desenvolvimento Econômico (sigla em inglês OECD), uma das pioneiras na discussão sobre proteção de dados. Dezenas de países já contavam com suas próprias regulamentações, o que deixava o Brasil para trás também nesse segmento. Um dos prejuízos era a perda de oportunidade de investimentos aqui, uma vez que o terreno legal de uso de informações ainda era pantanoso. Todas essas circunstâncias tornam ainda mais urgente a aplicação de normas nesse mercado.

Depois de seis anos tramitando no Congresso Nacional, o marco legal, batizado de Lei Geral de Proteção de Dados (13.709/2018), foi aprovado em regime de urgência e sancionado rapidamente pelo ex-presidente Michel Temer. Inspirada na legislação europeia e composta de 65 artigos, ela determina deveres às empresas e direitos aos indivíduos. O texto deixa claras as hipóteses permitidas para o tratamento de dados.

As normas abrangem informações obtidas por meio de qualquer plataforma (papel, eletrônico, imagem, som etc.). As regras fazem menção a dados sensíveis que devem receber tratamento diferencial. Entre eles estão informações sobre

QUEM PODE E QUANDO É POSSÍVEL TER ACESSO AOS DADOS

Quem tem o consentimento do titular, para o cumprimento de obrigação legal ou regulatória pelo responsável pelo tratamento de dados.

Para a proteção do crédito nos termos do Código de Defesa do Consumidor.

Para a realização de estudos de políticas públicas sem a individualização das pessoas.

Para a proteção da vida e da integridade do titular ou de terceiro.

Para a tutela da saúde com procedimentos realizados por profissionais da área ou autoridades sanitárias.

Para a execução de contratos ou de procedimentos preliminares à produção do contrato; para pleitos em processos judiciais, administrativos ou arbitrais.

Pela administração pública para o tratamento e uso compartilhado de dados necessários à execução de políticas públicas.

raça, etnia, posicionamentos políticos ou opção religiosa. A lei define o que é considerado dado pessoal: nome e apelido, endereços residencial e eletrônico, número de documentos de identificação, dados de localização, endereço IP, testemunhos de conexão e dados obtidos por hospitais ou médicos que possibilitem a identificação da pessoa. As informações não pessoais são número de registro de empresa, endereço eletrônico comercial e dados anônimos. A regulamentação traz maior proteção ao indivíduo que tem suas informações registradas. A lei garante a ele o direito de ser informado, de retificação, de portabilidade, de acesso, de revogação de consentimento e de exclusão de dados. E proíbe as empresas de utilizarem dados pessoais para fazer discriminações ilícitas ou abusivas, como cruzar registros específicos de grupos ou pessoas para embasar decisões comerciais, de políticas públicas ou para atuação de órgão público.

A legislação entrará em vigor em agosto de 2020. No entanto, em dezembro de 2018, a Medida Provisória 869 foi encaminhada pelo Executivo ao Congresso propondo várias alterações no marco legal. Umas das propostas é a modificação do artigo 11, que trata do uso de dados sensíveis. A medida permite o compartilhamento das informações sempre que se achar necessária a comunicação para a "adequada prestação de serviços à saúde suplementar". Críticos veem na proposição maior facilidade para que planos e seguros de saúde acessem os dados sensíveis, possibilitando uma classificação por etnia ou dados genéticos, por exemplo. Pedem que, ao longo da discussão sobre as alterações propostas, seja redigida uma norma que determine com precisão quais informações do gênero poderiam ser compartilhadas e em quais circunstâncias.

PRINCÍPIOS DA LEI GERAL DE PROTEÇÃO DE DADOS

Transparência

Consentimento na coleta de dados pessoais e no seu tratamento por terceiros

 Direitos do titular de dados e obrigações das empresas a atender às solicitações, como excluir dados

Controlador e operador como agentes do tratamento de dados (controlador toma decisões e operador trata dados)

 Encarregado pelo tratamento de dados pessoais como canal de comunicação entre empresa, titulares de dados e autoridade

Comunicados pelo controlador no caso de violação de segurança dos dados pessoais

 Penalidades de até R$ 50 milhões por infração

Autoridade nacional de proteção de dados para fiscalizar o cumprimento das normas

Capítulo 8

ELEMENTOS PARA UM PLANO DIRETOR DE DIGITALIZAÇÃO DA SAÚDE

154

ELEMENTOS PARA UM PLANO DIRETOR DE DIGITALIZAÇÃO DA SAÚDE

Os países mais desenvolvidos já despertaram para a necessidade de uma política de Estado voltada para a digitalização da área saúde, que pode ser ou não integrada a um planejamento mais amplo de promoção da internet das coisas (IoT). Em graus diferentes de abrangência, esses países têm planos e metas governamentais voltados para promover o desenvolvimento dos recursos tecnológicos que viabilizem a digitalização da saúde, bem como um conjunto de ações para incentivar o acesso dos cidadãos a esses recursos. Isso envolve desde financiamento para indústria de equipamentos computadorizados até o estímulo ao surgimento de soluções de atendimento, de *softwares* e de aplicativos. Portanto, a política de digitalização da saúde deve incluir um plano diretor que oriente como ela deve se desdobrar em intervenções coordenadas.

No Brasil, ainda estamos carentes tanto da política quanto dos investimentos públicos voltados para a digitalização da saúde. E as linhas gerais de um plano diretor ainda estão para ser traçadas. No entanto, existem iniciativas no sentido de promover a digitalização dos dados de saúde no sistema público de saúde – o SUS – bem como no setor privado, em operadoras e em hospitais. Em 2017, o Ministério da Saúde lançou a *Estratégia e-Saúde para o Brasil*, em que reconhece o registro eletrônico de saúde (RES) como uma ferramenta fundamental para o compartilhamento de informações, integração da atenção à saúde e suporte à decisão clínica, fatores necessários para a melhoria da qualidade da atenção e da gestão e para a redução de custos. Naquele ano, o SUS começou a substituir uma série de sistemas antigos e de interoperabilidade limitada por outros que permitissem construir uma base mais ampla de dados (tema tratado no Capítulo 4).

Por enquanto, as iniciativas em curso no SUS não conversam com os dados e iniciativas tecnológicas desenvolvidas em ilhas de excelência do setor privado. Aliás, a falta de diálogo entre diferentes projetos tecnológicos é mundial e não há congresso internacional em que não seja lançada uma nova tecnologia voltada para integrar *softwares* e promover o diálogo entre os dados acumulados em diferentes pontos do sistema de saúde. Os Estados Unidos são um bom exemplo desse descompasso, principalmente depois do Obamacare, a lei Federal de Proteção e Cuidado ao Paciente, sancionada pelo presidente Barack Obama em março de 2010, que ampliou o acesso ao sistema de saúde. Uma das exigências dessa lei era que os centros médicos e operadoras digitalizassem os dados de seus pacientes. No entanto, não definiu diretrizes para o modelo de digitalização no sistema público. Cada hospital fez de seu jeito, comprando sistemas de prontuários eletrônicos e *softwares* relacionados de acordo com as opções oferecidas pelo mercado, dificultando a integração de dados na área pública.

Já algumas das grandes operadoras privadas norte-americanas que integraram seus dados e digitalizaram as informações dos prontuários eletrônicos com esse cuidado são capazes de mobilizar, em segundos, dados de milhões de pacientes de suas redes de atendimento. A integração de diferentes sistemas, no entanto, é possível, embora dificuldades e barreiras precisem ser superadas ou eliminadas. Segundo estudo publicado pelo BNDES em 2017 sobre as aplicações da IoT no campo da saúde, a experiência de outros países mostra que é indispensável haver uma governança para que o fluxo e a troca de informações aconteçam. Essa governança deve ser exercida por uma organização incumbida de supervisionar o processo estabelecido entre as instituições que desejam compartilhar dados, oferecendo serviços como acesso aos prontuários eletrônicos, busca de dados clínicos, alertas de eventos, entre muitos outros. Como parte da construção dessa governança, é indispensável uma legislação que regule o acesso e o trânsito dos dados (ver Capítulo 7).

Infraestrutura

A infraestrutura de tecnologia da informação (TI) é a base para a digitalização da medicina e o compartilhamento efetivo de dados clínicos. E o pressuposto para que essa troca aconteça é a conectividade. Todo centro médico deve ser informatizado e ter acesso à internet de alta velocidade. Isso envolve dispor de servidores, que são computadores com grande capacidade de armazenamento, um conjunto de equipamento para as variadas tarefas do dia a dia, como computadores de mesa, *notebooks*, dispositivos móveis, além de ter acesso a uma rede de telecomunicações de grande capacidade e extensa capilaridade.

Da mesma forma, o cidadão comum, usuário do sistema de saúde, deve ter acesso à internet de banda larga por meio de *smartphones, tablets* e computadores, além de dispositivos específicos para o monitoramento de saúde, quando necessários. Se pensarmos que mais da metade da população brasileira (57% ou 119 milhões de pessoas) vive em apenas 6% das cidades do país e que somente 42 cidades têm mais de 500 mil habitantes, isso não seria tão difícil de viabilizar. Para garantir a conectividade é preciso um investimento pesado em potentes redes de micro-ondas e de fibras óticas, que são as vias de tráfego da informação digital. Linhas de crédito voltadas para o desenvolvimento de equipamentos para todas as camadas do sistema – de grandes bancos de dados a equipamentos eletrônicos domésticos – também devem ser previstas em um plano para a digitalização da medicina.

Interoperabilidade, padronização e análise

A existência de múltiplos sistemas de informação instalados, a diversidade de fornecedores, os vocabulários em uso, a diversidade de propósitos de coleta e de uso da informação em saúde exigem estruturas e interfaces que viabilizem a interoperabilidade desses sistemas entre si. Um plano diretor para a digitalização da saúde deve definir padrões e processos para garantir isso. É essa interface que permite a coleta, o armazenamento de dados e seu processamento. Importante também seria procurar formas de estimular os provedores de saúde a buscarem essa interoperabilidade.

Uma das primeiras tarefas da construção de sistema digital de saúde é um projeto de *big data* para realizar a leitura, a depuração e a integração dos dados de saúde existentes, reunindo-os em um único banco de dados. Isso inclui prontuário eletrônico único de pacientes, com os resultados de seus exames, incidência de doenças, resultados de tratamentos, alcance de diferentes tratamentos ou iniciativas, repositórios de medicamentos. É importante reunir também os dados das despesas, para que se possa avaliar os custos reais de cada tratamento, tanto para evidenciar – e poder evitar – os desperdícios, quanto para, principalmente, calcular os custos por desfechos realistas.

Um plano digital deve prever o desenvolvimento indispensável de uma robusta capacidade de analisar esses dados e aprender com eles, por meio de *data analitycs* e IA. É dessa forma que um conjunto de informações presentes em prontuários eletrônicos individuais pode transformar-se em evidências médicas e orientar protocolos de ação das equipes de saúde. E quando se fala em *big data* também é preciso planejar o *datalake* – uma área de armazenamento, o ambiente flexível no qual os dados serão guardados.

Recursos humanos

Um sistema de medicina digital requer a capacitação de todos aqueles que vão utilizá-lo: cidadãos, pacientes, profissionais de saúde e gestores precisam estar preparados para aproveitar ao máximo o acesso aos dados compartilhados. Além dessa capacitação geral, é preciso formar profissionais – de saúde e das áreas digitais – para todos os níveis e esferas do sistema. Pode ser difícil formar pessoas que conheçam as duas áreas em profundidade, mas o pessoal de transformação digital (TI, cientista de dados, *user experience* etc.) precisa entender de saúde e os profissionais de saúde precisam entender as possibilidades da digitalização para sua área. Eles devem participar do desenho, desenvolvimento, implantação, manutenção e monitoramento de sistemas, assim como da facilitação do relacionamento com os demais atores, em todos os aspectos relativos às tecnologias e à informação de saúde.

A medicina baseada em evidências trabalha com protocolos e permite total transparência na relação do paciente com as equipes de saúde – médico, enfermeiros, centros de exames de imagem e de análises clínicas. Para participar da transformação digital, um profissional de saúde deve saber ser transparente, trabalhar em equipe, seguir protocolos e recomendações. Isso tem de ser o padrão, mas nem todas as faculdades estão preocupadas em formar um médico preparado para os novos tempos, em especial para a transparência (leia mais no Capítulo 5).

Além disso, embora uma parcela significativa dos usuários do sistema de saúde use celulares e computadores de forma intensiva, caberá aos centros médicos ajudar aqueles que não têm domínio dos equipamentos eletrônicos a tirar proveito deles e dos dispositivos de monitoramento.

ITENS PARA UM PLANO DIRETOR

1. Governança
- Estratégia, padronização para a interoperabilidade, legislação e regulação, financiamento.
- Estímulo para os provedores adotarem a interoperabilidade.

2. Infraestrutura
- Redes de internet de alta velocidade.
- Infraestrutura de TI nas instituições.
- Acesso da população à banda larga.

3. Capacidade de processamento
- Big data: integração de dados existentes.
- Data analytics e IA.

4. Recursos humanos
- Profissionais de saúde e de TI para todas as camadas do sistema.
- Facilitadores para a população.

Fontes: *Internet das Coisas: Um Plano de Ação para o Brasil – Vertical Saúde* (BNDES/2017) e entrevistas com especialistas.

Conclusão

O ENCONTRO ENTRE PASSADO, PRESENTE E FUTURO

O ENCONTRO ENTRE PASSADO, PRESENTE E FUTURO

Somos testemunhas de uma transformação profunda no modo de vida da humanidade.

Como se a mitologia e a ficção científica tivessem se unido para criar uma nova realidade, os bancos de dados ganharam vida e se tornaram capazes de surpreender os cientistas com análises e perguntas jamais feitas antes. Uma espécie de oráculo preditivo baseado em algoritmos com o poder de ampliar as fronteiras do conhecimento.

Essa fusão levou também ao nascimento de Siri e Alexa, assistentes virtuais da Apple e da Amazon, desenhadas para demonstrar as mesmas qualidades da lendária Pandora, a primeira mulher criada com metais autômatos a pedido de Zeus. Como a precursora, elas são a expressão mais sofisticada da paciência, da meiguice e da inteligência.

As mudanças promovidas pela adoção de soluções digitais são sentidas, com mais ou menos intensidade, em todos os campos da vida – em vez de ir ao banco ou ao supermercado, tocamos em ícones de aplicativos para gerenciar finanças, fazer compras, marcar exames, pedir táxi, comida e acionar uma infinidade de comodidades.

Na indústria, sistemas cibernéticos monitoram a produção, definem ajustes, tomam decisões em tempo real e trocam informações entre si.

Na medicina, assistimos à evolução de técnicas de edição genética com o dom de extrair trechos do DNA com mutações causadoras de doenças; ou então ao aprimoramento de braços robóticos que dão aos especialistas o poder de operar remotamente. Há também *softwares* para ler imagens radiológicas que enxergam detalhes que escapariam aos olhos humanos, melhorando o diagnóstico.

A velocidade é uma das características mais marcantes dessa transição. O seu *smartphone* tem hoje mais capacidade de processamento de dados do que o conjunto dos computadores da NASA, a agência espacial americana, quando o homem pisou na Lua em 1969. (Isso significa que você pode chegar à Lua com ele? Ainda não, mas é questão de tempo e com opção para mais planetas.) O aumento exponencial dessa capacidade e a redução dos custos para sua realização também se deram em espaços de tempo cada vez menores. Se há cerca de três anos era possível processar a capacidade do cérebro de um rato com US$ 1 mil, espera-se que, entre 2030 e 2040, o mesmo montante permita analisar as informações de todos os cérebros humanos.

Ainda que estejamos apenas nos primórdios dessa transição, algumas possibilidades estão bem delineadas.

A aplicação das tecnologias digitais – um universo que abrange a IA, *big data, analytics, blockchain* e a internet das coisas, para ficar nas mais citadas – é a melhor chance que temos para enfrentar de forma inovadora os grandes desafios da saúde. Eles atingem tanto os países ricos como os mais pobres. Nações mais desenvolvidas, por exemplo, estão às voltas com a necessidade de equacionar as demandas criadas pelo aumento da população de idosos e, consequentemente, do surgimento de doenças crônicas. Fruto das conquistas da ciência e dos avanços sociais, o aumento da longevidade tem impacto direto no financiamento do sistema.

No Brasil, o quadro geral ganha tons mais cinzentos. Ao mesmo tempo em que cresce a população de idosos e a quantidade de pessoas vivendo com males crônicos, como nos países ricos, enfrentamos também graves epidemias de doenças infectocontagiosas e suas sequelas (como a dengue, a zika e a chikungunya), índices preocupantes de mortalidade materno-infantil e de mortes violentas. Como mencionamos ao longo deste livro, envelhecemos como na Suécia, adoecemos como na África do Sul e morremos como na Síria. É a nossa tripla carga. Ela se mostra um desafio ainda maior por causa da necessidade de sanear os gastos públicos e a crise da Previdência. Frente a todas essas dificuldades e agravantes, a tecnologia talvez seja o único caminho para resolvermos os desafios de saúde que temos no país com a limitação e escassez de recursos financeiros.

Soluções de *big data analytics* e a existência de prontuários eletrônicos unificados estão ajudando os gestores a moldar políticas específicas para avançar na prevenção e na solução dos impasses no atendimento. Uma delas ajuda a prever as chances de reinternação do paciente em 30 dias. Pautadas por essas informações, as equipes de cuidados tomam novas providências antes de dar a alta prevista.

No começo de 2019, em São Paulo, essa foi uma das ideias examinadas e desenvolvidas por mais de uma centena de cientistas de dados, médicos e profissionais da saúde e de tecnologia da informação. Ligados a universidades, hospitais privados e à rede pública, eles se encontraram em uma competição de uso intensivo de dados (Dathaton) para propor soluções com base na análise dos dados do Datasus, base com informações de milhões de brasileiros.

Não resta dúvida de que a aplicação plena das tecnologias digitais representa uma grande oportunidade para modelar sistemas que sejam economicamente viáveis e capazes de atender metas como a melhora da experiência do paciente nas ações de cuidado (envolvendo a qualidade, segurança e satisfação), promover a saúde e reduzir o custo dos serviços (as metas *triple aim*). Inúmeras soluções criadas por países mais adiantados caminham nessa direção, seja cortando desperdícios seja reformulando políticas públicas à luz da análise dos dados de milhares de pacientes.

Com foco na eficiência do sistema e na qualidade, a expectativa é promover a integração das novas ferramentas à vida do profissional da saúde para que tenha as condições e as informações adequadas para humanizar o atendimento. Entre elas, tempo para uma boa conversa, bons instrumentos diagnósticos e suporte de IA.

Precisamos aproveitar as oportunidades de tecnologia que os desafios nos oferecem e criar condições para abordá-los adequadamente. A experiência internacional mostra que a disseminação das soluções digitais precisa ser conduzida por um projeto de inclusão que ajude sua adoção em todos os níveis. Da facilitação do acesso em locais públicos ao desenvolvimento de manuais para explicar as tecnologias e explorar sua implementação em áreas como a engenharia, a comunicação, a pesquisa científica, a medicina, as artes, a agricultura, a indústria.

Evidentemente, não se pode ignorar que a tecnologia traz consigo vários riscos. Se for usada de forma superficial, para digitalizar a burocracia ou robotizar o atendimento e as interações humanas, fará com que os processos se tornem ainda mais impessoais. Esse é um caminho que não gera o resultado que precisamos.

A proposta que trazemos busca exatamente o contrário. A tecnologia deve ser pensada e aplicada a serviço do melhor relacionamento do profissional da saúde com o paciente, contribuindo para que a saúde seja mais humana, mais olho no olho.

O caminho é ampliar a cultura de uso de soluções digitais e suas melhores práticas. Assim teremos clareza, como sociedade, do potencial desses recursos para enfrentar os desafios emergentes do deste século.

GLOSSÁRIO

Advanced analytics: tecnologias para o processamento de dados que aplicam machine learning, capazes de utilizar grande volume de dados para o próprio treinamento e assim, progressivamente, aprimorar os resultados de reconhecimento de padrões complexos.

Algoritmos: receitas em linguagem de programação que descrevem os procedimentos necessários, passo a passo, para a resolução de uma tarefa.

Analytics: tecnologias aplicadas para descoberta, interpretação e comunicação de padrões de dados.

Assistentes virtuais: ferramentas virtuais para facilitar o acesso a dados, contas bancárias e outros serviços. Em saúde podem facilitar o trabalho diário das equipes médicas, como programas que permitem inserção dos dados no sistema por meio da fala e o controle dos registros eletrônicos por voz.

Barcamps e hackatons: eventos para a troca de informações e experiências entre programadores e empresas de desenvolvimento de *softwares* e tecnologias. O primeiro funciona como uma espécie de conferência *on-line* em que são apresentadas propostas e avaliações para o debate; o segundo é uma maratona de programação que pode durar dias, a fim de se explorar dados abertos, desvendar códigos e sistemas lógicos, discutir novas ideias e desenvolver projetos de *software* ou mesmo de *hardware*.

Big data: imensa quantidade de dados gerados todos os dias e acumulados em bancos de dados virtualmente acessíveis. A maior parte dos dados gerados é da área de saúde.

Big data analytics: aplicação de algoritmos para processar de modo inteligente os grandes volumes de dados, estruturados ou não, que compõem o *big data*. Os algoritmos extraem dados de diversas fontes predeterminadas para gerar informações inéditas em um tempo de processamento reduzido.

Bioinformática: informática aplicada à análise de dados biomédicos e à construção de modelos para representar os fenômenos biomédicos relacionados.

Biologia sintética: área dedicada a estudar modificações de organismos existentes, alterando seus códigos genéticos, e a criar organismos personalizados.

Blockchain: ou cadeia de dados segura é um tipo de arquitetura de rede distribuída onde não é necessário um servidor central. Todos os computadores são interligados, funcionando como receptores e servidores de dados compartilhados ao mesmo tempo. Essa descentralização é uma medida de segurança que visa validar uma transação ou registro. É a inovação que está na base da moeda virtual bitcoin.

Business intelligence: plataforma com ferramentas e *softwares* de coleta, gerenciamento, análise, compartilhamento e monitoramento de informações que oferecem suporte à gestão de negócios.

Chatbots: aplicativos de bate-papo ou linha telefônica com inteligência artificial que simulam uma conversa humana em um *chat* e são totalmente baseados em protocolos médicos e mecanismos aprovados para resolver solicitações do tipo dúvidas frequentes.

Computação em nuvem: (em inglês, *cloud computing*) refere-se à utilização da memória e da capacidade de armazenamento e cálculo de computadores e servidores; os dados armazenados podem ser acessados de qualquer lugar do mundo, a qualquer hora, pela internet, não havendo necessidade de instalação de programas ou de armazenamento de dados em computadores individuais.

Data science: ou ciência dos dados; ver Inteligência artificial.

Endemia, epidemia e pandemia: endemia é uma doença infecciosa e transmissível que se manifesta apenas em determinada região, de causa local, de duração contínua. Epidemia também é uma doença infecciosa, mas que pode espalhar-se rapidamente por outras localidades, como surtos epidêmicos. A pandemia é uma epidemia que atinge grandes proporções, podendo se espalhar por um ou mais continentes ou por todo o mundo.

Espirometria: mede a função pulmonar, a capacidade de inspirar e expirar de um indivíduo e detecta doenças como asma e bronquite.

Genômica: é uma área da genética que estuda os arranjos e a sequência da organização do DNA nas células, os processos no interior do genoma e as interações entre locus e alelos.

Inteligência artificial: procura imitar as funções cognitivas humanas, porém com uma velocidade e capacidade de relacionar e analisar informações multiplicadas de forma exponencial. Procura construir conhecimento a partir de uma quantidade grande e pesada de dados que podem ser usados para tomar decisões e fazer previsões, e não simplesmente a interpretação de números.

Internet das coisas: (IoT, *internet of things*): conexão em rede de objetos físicos de diferentes tipos e para variadas finalidades.

Machine learning: *software* com capacidade de aprender e evoluir a partir do processamento e análise de dados.

Microbioma: material genético formado pelo conjunto de bactérias e outros micro-organismos que colonizam a pele, os intestinos, as mucosas respiratórias e urogenital do ser humano e de outros seres vivos. Contribuem para a realização de processos como digestão, absorção de nutrientes, produção de vitaminas e controle dos microrganismos que causam diversas doenças.

Microprocessadores: em geral, chamado simplesmente de processador é o cérebro do computador, um circuito integrado que realiza as funções de cálculo e tomada de decisão de um computador.

Monitoramento de pacientes: acompanhamento remoto e/ou domiciliar de parâmetros vitais de pacientes, em geral com alto risco de doenças crônicas.

Optometria: procedimento que diagnostica defeitos da visão por falhas de refração e prescreve lentes e/ou exercícios apropriados, corrigindo miopias, hipermetropias, astigmatismos.

Paperless data: dados digitalizados, sem papel.

Prescrição eletrônica: versão digital da prescrição de medicamentos – a receita do médico –, que pode ser transmitida às farmácias ou aos hospitais eletronicamente e em tempo real. Os dados de prescrição e diagnóstico podem ser usados para verificações automáticas de interações medicamentosas e efeitos colaterais específicos para cada paciente.

Prontuário eletrônico ou prontuário eletrônico médico (*electronic medical records* – EMR): é uma versão digital dos tradicionais prontuários registrados em papel nos consultórios médicos, clínicas e hospitais. Contém os dados clínicos de cada paciente, elaborados por seu médico ou equipe médica no consultório, clínica ou hospital, e é usado para diagnóstico e tratamento.

Prontuário eletrônico de saúde (*electronic health records* – EHR): ou prontuário único ou unificado de saúde, além de dados clínicos padrão coletados nos consultórios ou hospitais, contém informações de todos os médicos envolvidos com o paciente, em diferentes especialidades, resultados de exames clínicos e de imagem, prescrições de medicamentos, dados demográficos e outros elementos relevantes à saúde, como atividades físicas, tipo de alimentação, relação com a bebida, tabagismo e uso de drogas, entre outros.

Redes neurais: arquiteturas e técnicas computacionais baseadas em modelos matemáticos inspirados na estrutura neural de organismos inteligentes, com vários centros articulados de processamento, como neurônios, que adquirem conhecimento pela experiência.

Registro eletrônico de saúde: infraestrutura para registrar, armazenar e visualizar todas as informações do paciente, acessíveis a todos os provedores autorizados e em todos os locais de atendimento – o mesmo que prontuário eletrônico de saúde unificado.

Sensores: dispositivo que capta e converte um fenômeno físico, como temperatura, umidade ou luminosidade, em um sinal elétrico. Fazem parte da interface entre o mundo físico e o mundo dos dispositivos eletrônicos, como os computadores e redes de dados. São largamente usados na medicina como meio de prover informações de processos físicos, químicos e biológicos em substituição aos sentidos humanos.

Teleconsulta ou telemedicina: ferramentas que possibilitam a interação remota entre médico ou equipes de enfermagem e paciente para consultas, acompanhamento de tratamentos e orientações de cuidados.

Testes genéticos: realizados para obter informações genômicas específicas de paciente e orientar tratamentos dirigidos e customizados de acordo com as características detectadas.

***Wearables*:** equipamentos que podem ser vestidos, usados para o monitoramento remoto dos pacientes em tempo real, realização de exames e/ou coleta de dados.

OS AUTORES

Claudio Lottenberg

Claudio Lottenberg é presidente do Conselho do Hospital Israelita Albert Einstein, instituição que liderou entre 2001 e 2016. Na direção do Einstein, empenhou-se em transformar o hospital em um modelo de gestão, qualidade e pesquisa, comparável aos melhores do mundo, posição que se consolidou com a fundação, em 2015, da Faculdade de Ciências da Saúde. É autor dos livros *A Saúde Brasileira Pode Dar Certo e Saúde e Cidadania - A Tecnologia ao Serviço do Paciente e não o Contrário* (ambos pela Editora Atheneu), sendo este último vencedor do prêmio Jabuti 2016.

Com graduação, mestrado e doutorado pela Escola Paulista de Medicina da Universidade Federal de São Paulo, fez residência médica pelo Conselho Brasileiro de Oftalmologia e aperfeiçoamento em emergências oftalmológicas pelo Manhattan Eye, Ear and Throat (1989). Já realizou mais de 20 mil cirurgias oculares e participa de diversas sociedades médicas. Integra o corpo docente da Universidade de Harvard (EUA), é professor titular de políticas públicas de saúde do curso de MBA em Saúde do Insper (SP) e membro da Academia de Medicina de São Paulo. O autor participa ativamente de várias organizações da sociedade civil: assessora a Fundação Nacional da Qualidade, preside a Líderes Empresariais (Lide) em Saúde e é diretor do Instituto Coalizão Saúde. Foi secretário da Saúde do Município de São Paulo (2004), integra o Conselho Estadual de Assuntos de Saúde e o Conselho Municipal (desde 2017). Integrou o Conselho Federal de Assistência Social (governo Fernando Henrique Cardoso), o Conselho Fome Zero (governo Lula) e Conselho de Desenvolvimento Social (governo Michel Temer). Presidiu a Confederação Brasileira e foi vice-presidente do Congresso Mundial Judaico. Atualmente, é assessor especial do presidente do Congresso Judaico Mundial da América Latina.

Patrícia Ellen da Silva

Patrícia Ellen é a atual secretária de Desenvolvimento Econômico, Ciência, Tecnologia e Trabalho do Estado de São Paulo, governo João Doria. Em 2016, foi nomeada *Young Leader Global* por seu trabalho em inovação digital, educação e desenvolvimento econômico em governo. É professora de Liderança e Inovação Digital no mestrado *de Gestão Pública do Centro de Liderança Pública*. Mestre em Administração Pública pela Harvard Kennedy School, possui MBA pelo Insead e bacharelado em Administração pela Faculdade de Economia, Administração e Contabilidade da Universidade de São Paulo. Presidiu a Optum Brasil até 2018 e atuou como sócia de setor público da McKinsey & Company por quase 18 anos, onde liderou projetos em educação, saúde, desenvolvimento econômico e, especialmente, de inovação digital em governo e políticas para o setor. Com outras lideranças renovadoras, é cofundadora do Movimento Agora, que se propõe a atualizar a política e a gestão pública promovendo o engajamento da sociedade na construção de um país mais humano, simples e sustentável.

Sidney Klajner

Presidente da Sociedade Israelita Brasileira Albert Einstein, lidera a transformação digital da instituição, referência em atendimento e pesquisa na América. Considerado o executivo mais influente da saúde no Brasil pela revista *Healthcare Management* (Grupo Mídia) em 2018, reserva rigorosamente parte do seu dia à prática da medicina como cirurgião do Hospital Israelita Albert Einstein.

Bacharel pela Faculdade de Medicina da Universidade de São Paulo, onde realizou o mestrado em cirurgia do aparelho digestivo, é *fellow* da American College of Surgeons. Autor de artigos em revistas internacionais e coautor de vários livros, é membro titular da Sociedade Brasileira de Cirurgia Metabólica, do Colégio Brasileiro de Cirurgia Digestiva, do Colégio Brasileiro de Cirurgiões, da Sociedade Brasileira de Cirurgia Bariátrica e Metabólica, da Sociedade Brasileira de Coloproctologia, da Sociedade Brasileira de Cirurgia Laparoscópica.

Integra o Conselho de Administração do Instituto Coalização Saúde, o Conselho Consultivo da Fundação Faculdade de Medicina (FMUSP), o Conselho Consultivo da Associação Atlética Acadêmica Oswaldo Cruz (AAAOC), o Conselho Consultivo da Janssen Brasil e o Conselho Superior de Gestão em Saúde do Estado de São Paulo (gestão do secretário estadual de Saúde José Henrique Germann Ferreira). Também é vice-presidente do Conselho da Federação Israelita do Estado de São Paulo.